CW00701991

GEFÄHRLICHER KUSS

EIN MILLIARDÄR – LIEBESROMAN

JESSICA FOX

HOT AND STEAMY ROMANCE

INHALT

Veröffentlicht in Deutschland:

Von: Jessica F.

ISBN: 978-1-64808-920-6

 Erstellt mit Vellum

KLAPPENTEXT

Ich sagte mir immer wieder, dass ich mich nicht in ihn verlieben sollte... Cosimo DeLuca.

Wunderschöne grüne Augen, dunkle Locken und ein Körper, um den ich mich einfach nur schlingen möchte...
Ich will ihn so sehr in mir haben, aber ich habe so viel Ballast aus meiner Vergangenheit
- und warum sollte sich ein Mann wie Cosimo um ein Kind wie mich scheren?
Außer... dass er süß und freundlich ist - und wie er mich ansieht...
Habe ich erwähnt, dass er mein Boss ist?
Ja, etwas miteinander anzufangen ist keine so gute Idee...
Aber ich kann nicht aufhören, an ihn zu denken... und jetzt kommt er auf mich zu und bietet mir alles, was ich je wollte.

Dies ist ein unabhängiger Roman in voller Länge mit einem glücklich bis ans Ende aller Tage Final, ohne offenes Ende, ohne Betrug und mit vielen heißen Szenen.

Filmregisseur Cosimo DeLuca mag zwar die Nummer eins in seinem Spiel sein, aber bei seinem letzten Dreh bereut er es bereits, die Diva Stella Reckless als seine Hauptdarstellerin eingestellt zu haben. Ihre Avancen abweisend, hatte der kürzlich verwitwete Cosimo nicht die Absicht, sich jemals wieder zu verlieben - bis er Stellas leidende persönliche Assistentin Biba May traf. Ihre Anziehungskraft ist glühend heiß und schon bald entdecken sie eine ganz neue Welt des erotischen Vergnügens.

Biba ist die Einzige, die mit Stella umgehen kann und obwohl die Schauspielerin Biba schrecklich behandelt, wäre sie ohne sie verloren. Als sie die offensichtliche Liebe zwischen Cosimo und Biba sieht, macht ihre Zickigkeit Biba's Leben zu einem Elend. Man füge einen mysteriösen Stalker hinzu, der entschlossen ist, Stella nahe zu kommen und Biba befindet sich bald in einer schwierigen Situation.

Aber als Stellas Stalker seinen Fokus auf Biba verlagert, entfaltet sich ein gefährliches Spiel, das Biba mehr kosten könnte als ihr Job.

Kann Cosimo ihr den Rettungsring bieten, den sie braucht, oder wird Biba in einen Sumpf aus Verrat und Mord gezogen?

1

KAPITEL EINS

Sie streckte die Hand aus und berührte sein Gesicht, als seine stahlgrauen Augen sich auf sie richteten. Sie fühlte, wie er sich bei ihrer Liebkosung anspannte, aber Lucy war froh, dass er nicht zurückgezogen hatte. Ihre Finger bewegten sich leicht über die zerklüfteten Ebenen seines Gesichts, über die Krähenfüße im Augenwinkel und folgten den feinen Linien auf seinen Wangenknochen.

„Du bist schön", flüsterte sie und ein seltsamer Blick kam ihm in die Augen.

"Liebling, du bist so jung", seine Stimme zitterte vor Emotionen. „Wenn du dich auf das hier einlässt, wisse, dass ich mich bemühen werde, dich glücklich zu machen." Er nahm ihre Hand und küsste die Rückseite ihrer Finger. „Aber ich weiß, dass mein Alter dich daran hindern könnte, mich immer so zu lieben, wie ich geliebt werden möchte."

„Ich sehe kein Alter", sagte Lucy, ihre blauen Augen ernst, ihr Ton glühend. „Ich sehe Erfahrung, ich sehe Abenteuer, ich sehe so viel, von dem ich lernen könnte. Sicherlich basiert Liebe - echte Liebe - auf mehr als einer Zahl?"

Er starrte sie für einen langen Moment an und nickte dann. „Dann ist es abgemacht."

„Ja", sagte Lucy und kam auf ihn zu, „Es ist abgemacht. Ich bin dein, Thornton. Dein." Und sie drückte ihre Lippen sanft auf seine...

„SCHNITT. Okay, das ist gut. Lasst uns weitermachen." Cosimo DeLucas Stimme war müde und die dunklen Ringe unter seinen Augen offensichtlich. Biba May warf dem Regisseur einen kurzen Blick zu, als sie einen Bademantel um Stellas Schultern legte, aber Cosimo war bereits in seinen Notizen versunken.

Stella, deren blondes Haar sich unter einer Marcel Wave Perücke aus den 1920er Jahren versteckte, warf Biba einen bösen Blick zu. „Ich friere. Sei das nächste Mal etwas schneller."

Biba sagte nichts. Sie hatte vor langer Zeit gelernt, dass es nie eine gute Idee war, zu kontern. Stattdessen würde sie einfach ihre dunkelbraunen Augen auf die Schauspielerin richten und Stella würde grinsen. Biba verstand nie, warum Stella sie immer wieder bat, am Set ihre Assistentin zu sein, aber trotz ihrer Zickigkeit bezahlte Stella sehr gut und das war es wert, dass ihr ein seltsames Handy auf den Kopf geworfen wurde. Außerdem, als Stella zum zweiten Mal körperlich wurde, hob Biba die Vase auf, die Stella gerade auf sie geschleudert hatte - und warf sie gleich zurück, wobei sie sie absichtlich um etwa einen Zentimeter verfehlte. Stella war schockiert... und platzte dann in lautes Gelächter. „Quid pro quo, Biba May."

Biba wusste, dass Stella ihre Lebhaftigkeit mochte und die Tatsache, dass sie, Stella, vollkommen Ausrasten könnte und Biba würde sich alles anhören und ihr dann genau sagen, was sie dachte, ob es Stella gefiel oder nicht.

Was nicht heißen sollte, dass Stella Biba oder sonst jemanden mochte. Stella Reckless war der größte Filmstar der Welt, eine atemberaubend schöne Blondine mit Kurven, für die man sterben wollte und einem breiten Lächeln, das in das ansteckendste Lachen ausbrechen konnte. Stella scherte sich einen Dreck darum, was die Leute von ihr dachten, tat selten etwas für wohltätige Zwecke, es sei denn, sie bekam etwas dafür und umgab sich mit ihrer „Crew"- einer Flotte von leicht austauschbaren kleinen Schauspielerinnen und hübschen Jungs, die ihr nie Nein sagten und stattdessen ihr vor der Presse in den Arsch krochen.

Außer Biba. Biba ließ sich nicht von ihr herumschubsen. Als Soldatentochter war Biba May an schwierige Menschen gewöhnt: Ihr afroamerikanischer Vater, ein ungeschickter Riese von zwei Meter Größe, war Armeegeneral und ihre kreolische Mutter war Major im I Corps der Joint Base Lewis-McChord unmittelbar vor Tacoma. Biba hatte die Absicht, ihrer Mutter ins Militär zu folgen, bis bei ihr im Alter von fünfzehn Jahren ein Herzfehler entdeckt wurde. Nach einer fehlgeschlagenen Operation hatte Biba ihre lange Genesung damit verbracht, alte Filme zu sehen und sich in sie zu verlieben und sie beschloss, anzufangen als Assistentin am Filmset zu arbeiten. Dort fand sie eine Welt, in der sie das Innenleben von Film und Filmmagie beobachten konnte. Ihre natürliche Effizienz und ihr Organisationstalent hatten hinter der Kamera leicht ein Zuhause gefunden.

Oft wurde sie jedoch gefragt, warum sie nicht selbst schauspielern wollte. Biba rollte mit den Augen und wusste, warum sie sie fragte. Sie wusste, dass die Leute sie wunderschön fanden – mit ihrer schönen, klaren Karamellhaut, den großen, dunklen Augen, kurzgeschnittenem, schwarzen Haar und ihrer kurvenreichen, zierlichen Gestalt, die ständig Bewunderer anzog, aber sie bestand darauf, ihre körperliche Schönheit entschlossen herunterzuspielen.

„Hey." Jemand stieß sie jetzt an und sie drehte sich um, um ihre Freundin zu sehen - ihre beste Freundin, wie es sich herausstellte - Reggie, die sie anstarrte. „Du warst weggetreten. Brauchte Madame Lash einen Arschkriecher?"

Biba kicherte. „Wenn sie es tat, ist sie zur falschen Person gekommen." Sie sah sich um. „Haben sie die nächste Szene vorbereitet?"

Reggie, die die Co-Autorin des Films war, nickte Cosimo DeLuca zu, der noch immer seine Notizen las und mit leiser Stimme zu seinem Kameramann sprach. „Hast du ihn schon getroffen?"

Biba schüttelte den Kopf. „Noch nicht. Er scheint... traurig zu sein.

Ich wollte nicht stören, indem ich mich vorstellte. Ich meine, was kümmert ihn ein persönlicher Assistent?"

Reggie machte ein halblächeln. „Eigentlich ist er einer der Guten. Kümmert sich um alle. Zu viel, glaube ich, manchmal."

„Kennst du ihn gut?"

„Nicht gut, aber ich habe in den letzten zwei Jahren ein paar Mal mit ihm zusammengearbeitet. Seine Frau starb vor ein paar Jahren."

Biba sah den Regisseur an. „Das ist es also."

„Was?"

„Die Traurigkeit. Wie ist sie gestorben?"

„Sie war krank, glaube ich. Sie starb auch jung, sie war erst dreiunddreißig Jahre alt. Sie hatten auch ein Kind. Nicco. Er lebt bei seiner Großmutter in Seattle. Er sieht seinen Vater nicht oft."

Biba schüttelte den Kopf. „Das ist schrecklich. Armer Kerl."

Reggie ging weg und Biba nahm sich einen Moment Zeit, um den Regisseur zu studieren. Er war verheerend gutaussehend, oder er wäre es, wenn seine Trauer nicht über jede Zelle seines Körpers liegen würde. Seine dunklen Locken waren zerzaust, violette Schatten lagen unter seinen leuchtend grünen Augen und seine dicken Brauen waren grüblerisch zusammengezogen. Biba's Augen fielen auf seinen Mund, seine sinnlichen und ansprechenden Lippen.

Sie bemerkte, dass sie ihn starrte, als Cosimo aufblickte und ihrem Blick begegnete. Ein Ruck von Adrenalin und Verlangen schoss ihr durch den Bauch und sie blickte verlegen weg. Glücklicherweise packte Stella sie in diesem Moment und sie war für die nächste Stunde zu beschäftigt, um zu verarbeiten, warum sie eine solche Veränderung in ihrer Seele gespürt hatte, als DeLuca sie angesehen hatte.

SIE DREHTEN IM LAKEWOOD MANOR, einem wunderschönen gotischen Haus nach Tudor-Art, etwas außerhalb von Tacoma, Washington- Bibas Heimatstadt. Also, fragte sie sich später, als sie sich zu Stellas Anhänger schleppte, warum warst du nicht zu Hause, May? Sie hatte in den drei Tagen, die sie in Washington verbracht hatten,

Ausreden gesucht, wie z.B.: Sie waren erst drei Tage dort gewesen, die Dinge waren zu Beginn eines Shootings immer hektisch und... und... und...

Die Wahrheit war... sie wollte nicht nach Hause gehen, nur um sich wieder wie ein Kind zu fühlen. Ihre Mutter war nie die wärmste Person gewesen und Bibas Vater mit seinem sensiblem männlichen Ego hatte seine Unsicherheiten von klein auf an Biba ausgelassen. Er konnte als Erwachsener kaum mit ihr sprechen, aber wenn Biba es wagte, sich darüber zu ärgern, würde Travis May verbal aggressiv werden.

Biba verabscheute die Idee, ihn zu sehen und wollte nicht das Gefühl von Wut, Verrat und Ungerechtigkeit spüren, das ihr Vater in ihr entfachte. Ihre Mutter... Biba hatte immer das Gefühl, dass sie nur eine Unannehmlichkeit für ihre Mutter und ihr Leben war. Sie würde sich über das Verhalten ihres Vaters nie auf Bibas Seite stellen.

Biba stieß einen Seufzer aus, als sie an Stellas Wohnwagentür klopfte und hineinging, ohne auf eine Antwort zu warten. Sie fühlte, wie sich der Anhänger bewegte und rollte mit den Augen. Stella muss mit Damon im Schlafzimmer sein.

Damon Tracy – oder 'Arsch Tracy', wie er von der Crew genannt wurde - war Stellas neuester Liebhaber - nicht, dass Stella sich viel um ihn kümmerte. Biba hasste Damon - er war so ausdruckslos wie eine beigefarbene Wand und so dumm wie ein Sack Hammer, aber er dachte, er würde hoffnungslos vom anderen Geschlecht begehrt werden - und hatte bei mehr als einer Gelegenheit mit Biba geflirtet, wobei seine Augen frei über ihrem Körper wanderten. Er hatte die Angewohnheit, sie suggestiv mit scheinbar unschuldigen Anfragen in die Enge zu treiben. Biba machte mit ihm kurzen Prozess, aber das schien ihn nur zu ermutigen.

Stellas letzter Freund war ein total Süßer gewesen – Sasha, ein Geschäftsmann aus Portland – und Stella hatte Biba geschickt, um mit ihm Schluss zu machen. Biba war entsetzt gewesen und war in Tränen ausgebrochen, als Sasha die Nachricht stoisch aufnahm, was sie selten tat. Sasha wiederum hatte sie getröstet und sie waren gute Freunde geblieben.

Damon? Biba würde ihn gerne für Stella abschießen und wie sie ihre Chefin kannte, war dies nicht mehr weit entfernt.

Der Anhänger hörte jetzt auf zu schaukeln und zu Bibas Vergnügen hörte sie Stella sagen: „Das wars? Oh Gott...“

Biba erstickte ein Lachen, aber sie verbarg ihr Grinsen nicht, als Damon in seinen Shorts aus dem Schlafzimmer stampfte und ihr einen bösen Blick zuwarf, als er seine Jeans anzog und aus der Tür verschwand. Stella erschien einen Moment später und sah Bibas Grinsen. Sie zuckte mit den Schultern. „Es schadet nicht, ihn glauben zu lassen, dass er sich verbessern muss.“

Biba schnitt eine Grimasse. „Lieber du als ich.“

Stella kicherte dunkel. „Ich glaube nicht, dass es für Damon und mich noch groß Zukunft gibt. Außerdem habe ich ein viel größeres Ziel im Auge.“

„Gott, wer jetzt?“

Stella grinste über Bibas sarkastischen Ton. „Unser köstlicher Regisseur, natürlich. Du musst bemerkt haben, wie verdammt sexy dieser Mann ist. Gott, auch italienisch... Ich wette, er fickt wie ein Tier.“

Biba drehte ihr Gesicht weg und wollte nicht, dass Stella sah, wie völlig aufregend dieser Gedanke für sie war. „Er trauert immer noch um seine Frau, Stella. Du solltest vielleicht ein wenig vorsichtig sein.“

Stella machte ein Geräusch. „Bitte. Das ist das Filmgeschäft. Ich wette, er hat seine Hauptdarstellerinnen gefickt, sobald die Frau unter der Erde lag.“

Sie hatte einen Punkt, aber irgendwie dachte Biba nicht, dass Cosimo DeLuca wie andere Männer war. Sie wechselte das Thema. „Willst du über den morgigen Text gehen?“

Stella zuckte mit den Schultern. „Sicher. Dann kannst du mir mit einem Plan helfen, Cosimo zu verführen. Dieser Mann verlässt Washington nicht, ohne von mir gefickt zu werden.“

Sex war das Letzte, was Cosimo im Kopf hatte. Er durchlief den Drehtag mit seinem Kamermann, Channing und seinem Regieassistenten und Co-Produzenten Lars, aber er konnte sich auf nichts konzentrieren. Dieser Film war nicht seine erste Wahl, aber er hatte zumindest enge Freunde in der Crew, Freunde, die verstanden, dass seine Priorität seit dem Tod von Grace darin bestand, mit Nicco, ihrem sechzehnjährigen Sohn, eine gemeinsame Ebene zu finden.

Cosimo tippte auf den Bildschirm seines Telefons und hob es an sein Ohr. „Hey, Mom."

Olivia DeLucas Stimme war warm. „Cos, wie schön, von dir zu hören. Wie läuft das Filmen?"

„Erster Tag. Immer ein seltsamer. Wir drehen außerhalb der Sequenz, also haben die Schauspieler und die Crew diese Chemie noch nicht aufgebaut. Wie immer, wie immer. Wie geht es Nicco?"

„Nun... er mag seine Schule, also das ist schon mal etwas. Nach dem Ärger an der Olympia High dachte ich, wir würden ihn nie irgendwo unterbringen können. Nur eine Schande, dass wir zu einer Privatschule gehen mussten, um seine Nische zu finden."

„Dafür würde ich jeden Betrag bezahlen, Mom, also bitte keine Sorge." Er zögerte. „Ich nehme nicht an, dass er heute mit seinem Vater sprechen will?"

Olivia seufzte. „Ich werde es versuchen, Cos, aber erwarte nicht zu viel."

Es gab eine lange Pause und dann hörte Cosimo seinen Sohn den Hörer abnehmen. „Yo."

Cosimo gluckste erleichtert. „Yo. Wie läuft es so?"

„Cool. Die Schule ist gut."

„Schön zu hören. Was war so los?"

„Nicht viel. Ich spiele Football."

Cosimo war überrascht. „Wirklich?"

Nicco lachte freudlos. „Ja, Dad. Überraschung, Überraschung, dein Sohn ist in etwas gut."

Cosimos Hände ballte zu Fäusten. Und los geht's... „Nic, ich habe nie gedacht, dass du bei irgendwas schlecht bist."

„Ich weiß nicht, ich bin ein ziemlich beschissener Sohn."

„Das bist du nicht." Nicco war so, seit seine Mutter gestorben war. Sie hatten einen größten Teil von Graces Krankheit von Nicco verheimlicht und als sie so unerwartet gestorben war, war Nicco auf einer Schulreise gewesen. Das letzte Mal, als er mit Grace gesprochen hatte, war er abgelenkt gewesen und hatte sich über ihr betüddeln - was er als betüddeln bezeichnete - aufgeregt und sie angemeckern. Er hatte sich das nie selbst vergeben - und er hatte Cosimo nie vergeben, weil er die von ihm verbergt hatte wie ernst Grace' Krankheit war. Cosimo fühlte den Schmerz dieses wahrgenommenen Verrats jedes Mal, wenn er mit Nicco sprach oder ihn sah. Er verlor seinen Sohn und er wusste es.

„Wie auch immer, Dad. Wie läuft es mit den Dreharbeiten?"

„Ich habe gerade erst angefangen. Weißt du, wenn du willst, könntest du am Wochenende hierher kommen, rumhängen und sehen was wir machen?"

Es gab eine lange Pause. „Ich habe dieses Wochenende ein Spiel."

„Dann komme ich zu dir." Cosimo hatte die Dreharbeiten für beide Tage geplant, aber er würde Channing sie leiten lassen.

„Nein, du hast Arbeit." Nicco zögerte. „Vielleicht könnte ich am Wochenende danach mit dem Bus runterkommen."

„Das fänd ich schön." Cosimo spürte, wie eine Welle der Hoffnung durch ihn floss. „Ich hab dich lieb, Kumpel."

„Ja." Niccos Stimme war wieder kalt geworden. „Bis später, Dad."

„Bis später, Nic."

Cosimo hörte, wie das Telefon an seine Mutter zurückgegeben wurde. Nur Olivia DeLuca würde noch auf einem Festnetzanschluss bestehen. „Hallo, Liebling."

„Hey, Mom. Nic sagt, er kommt vielleicht übernächstes Wochenende."

„Ich habe es gehört. Das ist wunderbar, Cos." Es gab eine lange Pause. „Cosimo... versuche, glücklich zu sein, Sohn. Ich befürchte, dass du wieder in eine deiner Einsiedlerphasen rutschst. Ich fürchte, du wirst wieder depressiv."

Cosimo rieb sich die Augen. „Es geht mir gut, Mom, ehrlich. Es ist nur zwei Jahre her, das ist alles. Ich will drüber hinwegkommen, aber ich stecke im Moment fest. Es wird schon klappen."

„Öffne dein Herz wieder, Sohn", sagte Olivia mit leiser Stimme. „Grace würde wollen, dass du wieder Liebe findest."

„Ich weiß. Danke, Mom."

NACHDEM ER AUFGELEGT HATTE, machte er halbherzig einige Notizen, bevor er in der Dämmerung zum See hinunterging. Das Herrenhaus wurde entlang eines der größten Seen der Gegend gebaut und die Umgebung war am späten Abend ruhig. Cosimo atmete die Nachtluft ein, die scharfe Kälte belebte seine Sinne. Es war wirklich ein schöner Ort zum Filmen. Das Anwesen selbst wurde vor einigen Jahren in ein Bed-and-Breakfast umgewandelt und mit exquisitem Standard renoviert. Das Filmstudio hatte die Räume für die Dauer der Dreharbeiten gemietet und einige der Darsteller und die Crew wohnten in den Schlafzimmern, die nicht für Dreharbeiten genutzt wurden. Cosimo blickte nun auf die Villa zurück, beleuchtet und warm. Er wusste, dass er für diesen Job dankbar sein sollte und das war er- er liebte es, Regie zu führen - aber in letzter Zeit hatte er sich nach mehr Einsamkeit gesehnt. Vielleicht hatte seine Mutter Recht - er wurde wieder zu einem mürrischen alten Einsiedler.

Er schüttelte den Kopf und begann hinunterzugehen, um sich an's Ufer des Sees zu setzen. Er hörte Hundegebell und sah hinter sich, um einen Deutschen Schäferhund zu sehen, den er als den Hund des Hausmeisters erkannte, der um eine leichte Gestalt herumlief, die einen Ast schwang. Das andere Ende war im Mund des Hundes und sie spielten damit Tauziehen. Er hörte die Frau lachen und so tun, als würde sie den Hund anknurren und als er durch die Dunkelheit schiel, erkannte er Stellas persönliche Assistentin – Biba? War das ihr Name? – den Hund necken und dann mit ihm auf dem Rasen herumtollte und spielte.

Cosimo lächelte. *Süß.* Er beobachtete einige Minuten lang von seinem Sitz am See aus. Das Mädchen sah ihn, als sie sich grade umdrehen und wieder hineingehen wollte. Für einen langen Moment starrten sie sich an, lasen den Ausdruck des anderen und er sah, wie sie ihm leicht verlegen winkte. Er hob seine Hand, um zurückzuwinken, aber sie hatte sich bereits umgedreht, um wieder hineinzugehen.

Cosimo wandte sich wieder dem See zu, aber sein Kopf blieb bei der jungen Frau. Er wusste, dass Stella Reckless ein gemeiner Boss war, aber dieses Mädchen schien damit umgehen zu können und das faszinierte ihn. Er wusste auch, dass Stella in den letzten drei Tagen ein Auge auf ihn geworfen hatte und er wollte wirklich nichts von ihr. Stella Reckless war überhaupt nicht sein Typ, er bevorzugte Nerds, wie er selbst einer war -Mädchen, die mit ihm über etwas anderes als Hollywood, Partys oder die Kardashians sprechen würden. Grace war der größte Wissenschaftsfreak und hatte sich bei der NASA beworben, bevor sie krank wurde.

Er seufzte und stand auf und ging langsam zurück zur Villa. Seine Mutter bestand vielleicht drauf, ihm jemanden neues zu finden, aber Cosimo wusste - sie müsste sehr speziell sein.

ER BEOBACHTETE, wie der Direktor zurück zur Villa ging, bevor er zurück in den Wald glitt. Er war sehr erfreut, als er erfahren hatte, dass sie hier drehen würden. Offene Wälder, der See - das alles würde es ihm leichter machen, Stella näher zu kommen. Bald würde er sie kontaktieren und ihr mitteilen, dass er für sie da war - in jeder Hinsicht, wie ein Mann für eine schöne Frau wie Stella Reckless da sein könnte. Niemand würde sich ihrer epischen, einmaligen Liebesgeschichte in den Weg stellen... und Gott helfe jedem, der es versuchte...

2

KAPITEL ZWEI

„Beebs, komm schon. Eine halbe Stunde macht keinen Unterschied." Rich Furlough, einer der Sicherheitskräfte des Filmsets, schmollte Biba offen an, die ihn angrinste. Rich und sein gemeinsamer Kollege Gunter waren ihre Lieblingsleute bei jedem der Filme, an denen sie gearbeitet hatte. Hervorragend in ihrer Arbeit, hatten sie ein freches und manchmal rebellisches Gefühl von Spaß. Rich, dessen dunkles, gutes Aussehen und leuchtend blaue Augen ihn leicht zum Star hätten machen können, war der Anstifter, der immer auf der Suche nach Wegen war, die eher divaartigen Akteure mit einem Knall zurück auf die Erde zu bringen und Gunter, ein in Deutschland geborener Bodybuilder, der die seltsamsten Dinge im Leben hinterfragte, wie z.B. warum Libellen mehrfarbige Flügel hatten („Die sind fancy-schmancy, oder? Als ob sie auf eine Party gehen, ja?").

Biba liebte sie beide - die beiden Männer waren seit ihrer Schulzeit beste Freunde und hatten sie wiederum schon früh in ihrer Karriere unter ihre Fittiche genommen. Gunter war in Stella verknallt, was aber eindeutig unerwidert blieb, also betrank er sich manchmal und jammerte traurig über seine ‚verlorene Liebe'.

Rich flirtete unverschämt mit Biba, aber sie teilten ein fast geschwisterliches Band und jetzt versuchte er, sie zu überreden, Damon zu verarschen, den Rich verabscheute. „Komm schon, Biba", sagte er noch einmal, seine Stimme schmeichelnd. „Du weißt, dass du es willst."

„Ich mache keinen Sekundenkleber an seinen falschen Bart", sagte Biba entschlossen und versuchte (und schaffte es nicht), ein Grinsen aus ihrem Gesicht zu halten. „Lila bringt mich um, wenn ich ihr Make-up ruiniere."

Rich schnaubte. „Er braucht es." Biba blinzelte ihm zu und ging zu ihrer Chefin.

Stella klopfte mit ihrer Zigarette auf den Tisch im Wohnwagen, ihre Augen starrten in die Leere vor sich. Einen Moment lang sah sie nicht, dass Biba hereinkam, dann, nachdem Biba es satt hatte, guten Morgen zu sagen und ignoriert zu werden, klopfte sie laut auf den Tisch.

„Hey, Spacecakes. Make-up in fünf Minuten."

Stella blinzelte, dann lächelte sie. „Ich habe dich gehört. Hast du Damon heute Morgen gesehen?"

„Nein, Gott sei Dank." Biba blieb stehen und verengte ihre Augen auf Stella. Sie kannte diesen alten Blick. „Oh, *nein*. Ich weiß, was du denkst."

„Was?" Stella tat ganz unschuldig.

„Du bekommst diesen Gesichtsausdruck, wenn du dich darauf vorbereitest, jemanden sitzen zu lassen. So sehr ich Damon auch verabscheue, du kannst ihn diesmal selbst abservieren."

„Ich habe dich nicht gebeten, etwas zu tun."

„Nein, aber das wirst du." Biba beschäftigte sich mit den neuen Skriptseiten, die angekommen waren. Sie runzelte die Stirn. „Sind die neuen Seiten rosa oder gelb? Scheiße, ich kann mich nicht erinnern."

Stella ignorierte sie. „Jetzt, wo du Damon erwähnst..."

„Das habe ich nicht, du hast es getan."

Stella wedelte mit ihrer Zigarette Biba zu, zündete sie sich dann endlich an und blies den Rauch von ihrer Assistentin weg. Es war eine der wenigen Höflichkeiten, die sie zeigte. „Vielleicht ist es an der Zeit, dass wir getrennte Wege gehen."

„Halleluja."

Stella studierte sie. „Du magst ihn wirklich nicht, oder? Was ist los, Beebs? Hasst du, mich zu teilen?"

„Immer", grinste Biba sarkastisch und Stella lachte. „Nein, er ist nur ein Widerling. Du könntest etwas Besseres haben."

Stella sah über das Kompliment vage überrascht aus, sagte aber nichts. „Nun... nächstes Mal werde ich es tun. Unser wunderschöner Regisseur zum Beispiel. Cosimo DeLuca... kannst du dir vorstellen, von diesem Mann verführt zu werden? Ich wette, er ist gut bestückt."

Biba antwortete nicht, aber der Gedanke an Cosimo nackt war nicht unangenehm - ganz im Gegenteil. Nicht, dass sie das Stella jemals erzählen würde. Sie erinnerte sich an gestern Abend, als sie gesehen hatte, wie er ihr beim Spielen mit dem Hund des Hausmeisters zugesehen hatte. Er hatte fast... glücklich ausgesehen und genoss den Spaß, den sie mit dem Deutschen Schäferhund hatte. Vielleicht war er ein Hundeliebhaber? Das machte ihn noch attraktiver. Sie schob den Gedanken an ihn weg. *Verknall dich nicht in ihn. Nicht verknallen.* Es war sowieso lächerlich. Sie hatte nie ein Wort mit ihm gesprochen. Als sie ihm gestern Abend so peinlich zugewunken hatte, hatte er so überrascht ausgesehen, dass sie sich verlegen abgewandt hatte und fast zum Herrenhaus zurückgerannt war.

„Hey, *Spacecakes*", Stellas Ton war verärgert, „Hörst du zu?"

„Sicher."

„Mal sehen, ob du DeLucas Einstellung zu mir lesen kannst."

„Wie?"

„Beobachte ihn, wenn ich schauspielere. Mal sehen, ob er reagiert... auf bewundernde Weise."

Biba fing an zu grinsen. „Also, wenn er..." Sie tat so, als würde sie ihren Schritt greifen und etwas richten und machte eine obszöne Geste mit ihrer Hand. Stella gackerte vor Lachen. Sie konnte immer mit einem schmutzigen Witz für sich gewonnen werden.

„Etwas unauffälliger als das, aber ja." Stella streckte ihre langen

Beine aus und bündelte ihre langen blonden Haare zu einem Pferdeschwanz. „Richtig. Make-up."

NACHDEM STELLA sie allein gelassen hatte, räumte Biba den Wohnwagen auf und zog Stellas Kleider für später heraus, hängte sie auf und bügelte die Falten aus ihnen heraus. Als sie fertig war, ging sie zum Craft Service Trailer und holte sich etwas Müsli und Kaffee.

Als sie sich hinsetzte, fühlte sie, wie jemand ihre Seiten kitzelte und wusste, wer es war. „Reginald", sagte sie mit herrischer Stimme und grinste dann, als er sich neben sie setzte. Reggie küsste ihre Stirn.

„Guten Morgen, meine Schöne." Er stahl sofort einen Löffel Müsli, seine Augen funkelten hinter seiner Brille, sein dickes, welliges, blondes Haar war wie immer ein Chaos.

„Reggie, das Essen ist gleich davorn", stöhnte sie, aber es war ihr wirklich egal. Reggie Quinn, Drehbuchautor, Musikliebhaber, Streber, war ihr bester Freund auf der Welt, ihre „Person", die sie an den höchsten Punkten ihres Lebens und an den niedrigsten anrief.

Er war derjenige gewesen, der ihr den Job als Stellas Assistentin verschafft hatte. Sie hatten sich kennengelernt, als er an ihr College kam, um einen Vortrag über die Arbeit im Filmgeschäft zu halten und fand Biba als einzigen Studenten, die bereit war, sich zu engagieren. Er rief sie danach zu sich und sie hatten bis spät in die Nacht in ihre Lieblingsbar gequatscht. Sie fanden so viele Gemeinsamkeiten, dass sie beide scherzten, es sei Liebe auf den ersten Blick gewesen.

Ihre Freundschaft war jedoch von Anfang an platonisch geblieben. Biba suchte nie nach romantischen Beziehungen und Reggie schien zu glücklich, Single zu sein. Beide waren sich einig, dass sie viel bessere Dinge mit ihrem Leben zu tun hatten. Und Reggie war ihr Champion, wenn es um ihr Schreiben ging, er gab ihr endlos Feedback und ermutigte sie, ihre Arbeit bei Agenten einzureichen. Biba glaubte immer noch nicht, dass sie es jemals als Drehbuchautorin schaffen würde, aber sie war Reggie jedenfalls dankbar für die Unterstützung.

Reggie balancierte sein Kinn auf ihrer Schulter und sie lehnte ihren Kopf gegen seinen. „Wie geht es der bösen Hexe?“

Biba grinste. „Im Moment in Ordnung. Sie hat einen neuen Plan.“

„Oh Gott. Wer ist es diesmal?“ Reggie rollte mit den Augen.

„Cosimo DeLuca.“

„Gott“, sagte Reggie, „Der arme Kerl hat keine Chance.“

„Oder?“ Aber plötzlich wollte Biba nicht mehr über Stella sprechen, die Cosimo verführte - es gab ihr ein seltsames, unbekanntes Gefühl von Eifersucht und Schmerz, das sie nicht verstand.

Sie beendete ihr Frühstück und verabschiedete sich von Reggie und ging auf den Make-up-Trailer zu.

Als sie um die Ecke lief, erschrak sie, weil sie fast mit jemandem kollidierte. Als sie sah, wer es war, hämmerte ihr Herz in ihrem Brustkorb.

Cosimo sah erschrocken aus, dann lächelte er und für Biba fühlte es sich an, als wäre die Sonne aufgegangen. „Endlich Hallo also.“ Seine Stimme war tief und samtig, nur ein Hauch von Akzent, aber er ließ ihre Sinne schwanken.

Endlich? Das ließ ihren Magen flattern. „Hallo, Mr. DeLuca, es ist schön, Sie kennenzulernen.“ Da sie nicht wusste, was sie tun sollte, streckte sie ihre Hand aus und seine große, warme, trockene Hand schloss sich um ihre.

Es gab ein langes Zögern, als sie sich gegenseitig anstarrten und Biba fühlte sich erröten. Seine Augen waren intensiv auf sie gerichtet - so ein schönes Grün - und seine Wimpern waren dicht und schwarz und lang. Als seine Augen für eine Sekunde auf ihre vollen Lippen fielen, fühlte Biba, wie ein Nervenkitzel durch sie hindurchging. Gott, er war wirklich umwerfend schön... und er ließ ihren Körper Dinge fühlen, die sie nie gefühlt hatte.

„Du bist Biba, nicht wahr?“

Sie nickte atemlos. Er lächelte sie an. „Meine Mutter war in den 60er Jahren Model für Biba in London. Schöner Name.“

„Danke. Kann ich etwas für Sie tun, Mr. DeLuca?“ *Zum Beispiel dich küssen? Zum Beispiel meine Hand durch diesen herrlich wilden Lockenschopf auf deinem hübschen Kopf zu streichen?*

Cosimo lächelte. „Das ist sehr freundlich, aber nein, danke. Und bitte nenn mich Cosimo, Biba. Suchst du Ms. Reckless? Ich glaube, ich habe gesehen, wie sie zu ihrem Wohnwagen zurückgegangen ist."

„Danke." Sie lächelte ihn an und war erfreut, dass er nickte. Es waren zwei rosige Flecken auf seinen Wangen, die sie überraschten - aber vielleicht war der Typ einfach nur wirklich schüchtern. Sie hatte das über ihn gehört und bisher hatte sie keine Beweise gesehen, die dem widersprachen.

Er schien es auch nicht eilig zu haben, ihr von der Seite zu weichen. „Wie gefällt dir der Dreh? Nicht, dass wir schon lange hier sind, aber..."

Cosimo wurde durch die hastige Ankunft von Rich unterbrochen, der Biba etwas in die Hand schob, weglief und „Sorry, Beebs!" rief.

Sowohl Biba als auch Cosimo sahen sich schräg an, dann sah Biba nach unten. Eine halbleere Tube Sekundenkleber.

„Worum ging es da?" Cosimo schaute dem weglaufenden – und lachenden – Rich hinterher.

Biba schüttelte den Kopf. Sie wollte Rich nicht in Schwierigkeiten bringen. „Nichts. Entschuldigung, Mr.- Cosimo. Ich muss zu Stella."

„Natürlich. Nochmals, war schön, mit dir zu reden, Biba." Er lächelte und berührte ihren Arm, bevor er sich zurückzog. Biba holte einen langen wackeligen Atemzug Luft. Ihre Haut brannte dort, wo er sie berührt hatte und sie fragte sich, wie sich ihr Körper mit seinen Händen darauf anfühlen würde, die sie streichelten, sie berührten...

Oh Gott. Ein stetiger Puls schlug zwischen ihren Beinen und sie musste sich einen Moment Zeit nehmen, um sich zusammenzureißen.

SPÄTER, als Biba die Szene zwischen Stella und Damon am Set sah, konnte sie nicht anders, als zu beobachten, wie Cosimo auf seine Schauspieler reagierte. Er war stets höflich, wusste aber, was er wollte und erklärte ihnen beiden sorgfältig, wie sie die Szene spielen sollten, aber er hörte auf ihre Vorschläge. Sanft, dachte sie sich. Er ist ein sanfter Mann.

Damon fummelte an seinem Schnurrbart herum, kratzte die Haut um ihn herum und Stella sah verärgert aus. „Ich will keine schuppige Haut in meinem Mund, Damon, vielen Dank."

Damon ignorierte sie. „Juckt verdammt."

„Gott, hat man dir nie falsches Haar aufgeklebt?" Stella starrte seinen Haaransatz an. „Sicht so aus, als müsstest du dich da in ein paar Jahren sowieso dran gewöhnen."

„Sei nicht eine Zicke." Damon stieß einen Finger in den Schnurrbart. „Meine Lippe fühlt sich taub an."

Oh, Gott. Biba's Hand fuhr in ihre Hosentasche, um die Tube von Sekundenkleber zu ertasten. Sie schoss einen Blick auf Rich, der sie absichtlich nicht ansah. *Oh, Fuck.*

Ihre Ängste verwirklichten sich eine halbe Stunde später, als sich Stella inmitten einer Kussszene von Damon löste. „Ewww, was ist das?"

„Waf if waf?" Damons Sprache war lispelhaft und undeutlich und er stieß wieder auf seine Oberlippe. „Waf fur Hölle?" Er riss den Schnurrbart ab und ließ damit alle zusammenzucken und seine Lippen bluten.

„Oh, lieber Gott." Stella war sowohl angeekelt als auch amüsiert - Damons Lippe war dreimal so groß wie sie hätte sein sollen. Er sah aus wie eine Ente.

3

KAPITEL DREI

Biba wurde blass. Damon war offensichtlich allergisch gegen den Klebstoff, den Rich auf den falschen Schnurbart aufgetragen hatte. Sie ging hinter den Wachmann und stieß ihn hart in den Rücken. „Du Idiot. Schau, was du getan hast", zischte sie ihn an.

„Woher sollte ich wissen, dass er allergisch ist?" Es gab keine Schuld in Richs Stimme und stattdessen ging er vorwärts. „Hey, Leute, beruhigt euch. Hat jemand einen EpiPen? Wir könnten ihn gebrauchen. In der Zwischenzeit rufe ich den Arzt."

Cosimo seufzte, sein Zeitplan war jetzt aus dem Gleichgewicht, seine Konzentration war gebrochen. „Okay, Leute, das war's für heute. Damon, geh dich behandeln lassen." Er drehte sich um und fiel Biba ins Auge und sie war erstaunt, als sie sah, wie er grinste und ihr zuwinkte. Offensichtlich hatte Cosimo auch keine Zeit für Divas.

BIBA HOLTE Rich später ein und schlug hart auf die Brust. Er grinste. „Tut mir leid, dass ich den Kleber bei dir gelassen habe, Beebs. Ich musste schnell weg."

„Und *mir die Schuld geben*, du Arschloch."

„Weißt du, in einigen Kriegsgebieten wird Kleber verwendet, um Wunden zu schließen", sagte Gunter nachdenklich. „Vielleicht sollte Biba dein Dingidong zur Bestrafung versiegeln." Er biss lässig in einen Apfel, als Biba und Rich ihn anstarrten.

„*Danke*, Mann", sagte Rich, als Biba anfing zu lachen.

„Vielleicht ist das eine tolle Idee", Biba tat so, als würde sie nach Richs Hosenstall greifen. „Komm und halt ihn fest, Gunter, während ich..."

Rich sprang aus ihrer Reichweite. „Ha ha. Hör zu, im Ernst, es tut mir leid. Wenn Cosimo etwas sagt, sag ihm, dass ich es war."

„Oh, das werde ich", sagte Biba. „Ich habe keine Probleme damit, dich zu verraten, du Depp."

Reiches Grinsen. „Du liebst mich wirklich."

„Nee."

„Ja. Wenn ich nicht so sehr mit der Arbeit beschäftigt wäre, würdest du dich auf mich stürzen. Du bist unersättlich."

Biba begann zu lachen. Rich's Neckerei war etwas, das sie sehr lustig fand, vor allem, weil er es auf eine so offene und nicht gruselige Weise tat. „Rich, ich habe es dir schon mal gesagt. Ich mag große Bratwürste, keine Chipolatas."

Gunter blickte eifrig auf. „Magst du deutsche Bratwürste?"

Biba grinste und antwortete nicht. Rich seufzte und stürzte auf dem Sofa in seinem Anhänger. „Nun, das hat Spaß gemacht. Was sollen wir morgen machen?"

Biba trat mit den Füßen, als sie auf dem Weg nach draußen an ihm vorbeikam. „Wie wär's mit deinem Job? Komisch, ich weiß."

„Tyrann."

„Faules Stück."

Reiches Grinsen. „Bis später, Boo."

„Bis später. Tschüss, Gun."

„Auf Wiedersehen, Bratwurst-Prinzessin."

Biba grinste immer noch, als sie nach Stella suchte, die gut gelaunt war. „Ich habe gehört, dass du das mit dem Kleber warst." Sie umarmte Biba tatsächlich, die bei der unerwarteten Umarmung ein wenig zurückschreckte. „Gut gemacht."

Biba wandte sich heraus. „Nun, du hast dich verhört. Nicht, dass Arsch Tracy es nicht verdient hätte, aber ich würde niemandem diesen... Entenschmollmund... wünschen." Sie lächelte ein wenig und Stella grinste.

„Oder?" Stella gackerte fröhlich. Sie setzte sich hin, öffnete den Mini-Kühlschrank und holte ein Bier heraus. Sie hätte nie dran gedacht, Biba eins anzubieten, aber Biba war daran gewöhnt. „Gott, was für ein Tag. Und... was für eine Nacht, die ich mir vorgenommen habe."

Sie wackelte mit den Augenbrauen Biba zu, die wusste, dass Stella wollte, dass sie danach fragte. Seufzend ging sie auf die Wünsche ihrer Chefin ein. „Was denn?"

„Was ich gerne die erste Offensive der Kampagne ‚Mach Cosimo Mein' nenne. Wir treffen uns später, um das Drehbuch und die Motivation meiner Rolle zu besprechen." Sie nahm einen Schluck Bier und leckte langsam ihre Lippen. „Meine Charaktermotivation ist, dass ich deinen großen Schwanz lutschen will, Herr Direktor." Sie schnaubte vor Lachen, aber Biba spürte einen seltsamen Schmerz der Eifersucht.

„Stella... nur eine Warnung. Der Typ scheint nicht der Typ zu sein, der... am Set Dallianzen hat. Er ist ziemlich schüchtern."

Stella sah sie schief an. „Und du kennst ihn so gut, weil...?"

„Das tue ich nicht. Es ist nur der Eindruck, den ich habe."

Stella zuckte mit den Schultern. Sie stand auf und zog ihren Bademantel auf. „Er wird aufhören, so schüchtern zu sein, wenn er das sieht." Stella war nicht schüchtern, ihre atemberaubende Figur zu zeigen: ihre vollen Brüste, ihren schlanken Bauch und ihre langen, langen Beine. Biba hatte das alles schon gesehen.

„Was immer du sagst. Hör zu, hast du alles, was du brauchst? Ich mach mich auf den Weg."

„Ja, schon gut. Morgen um Vier. Sei bitte um halb vier hier."

Biba stöhnte. „Gott. Das ist nicht mal eine echte Zeit. Du hast sie erfunden." Aber sie war erstaunt über das „Bitte". Stella grinste über ihren Witz.

„Glaub mir, ich schlafe auch lieber bis Mittag, aber wir müssen einige Szenen mit dem frühen Morgenlicht drehen." Schließlich hielt sie an und sah Biba an. „Ruh dich aus. Du siehst erschöpft aus."

Alter, was war mit Stella los? Sie war nie so nett, es sei denn... *ah, ja*. Biba erinnerte sich jetzt daran. Stella war immer besser gelaunt, wenn sie jemanden verführen wollte. Biba war es normalerweise egal... und sie fragte sich, warum sie es jetzt tat.

„Gut. Wir sehen uns morgen früh."

BIBA ÜBERLEGTE, ob sie sich den Hund des Hausmeisters wieder ausleihen und zum See hinuntergehen sollte - um mit dem Hund spazieren zu gehen, sagte sie sich selbst, nicht um zu sehen, ob Cosimo da sein würde - aber sie war müde. Stattdessen ging sie zu Reggie.

Sie schob sich zwischen den Anhängern hindurch und bemerkte, kurz bevor sie über einen Stein stolperte, dass es richtig dunkel geworden war. Sie stürzte auf die Knie und keuchte vor Schmerz, als ihr rechtes Knie gegen einen Stein knallte. „Autsch, Autsch, Autsch, verdammt Autsch..." Sie verfluchte noch mehr, als sie auf die Füße kletterte und ihr Knie testete. Es war nichts gebrochen, aber es tat trotzdem höllisch weh.

Biba hinkte zum Herrenhaus, aber als sie das Ende der Anhängerlinie erreichte, trat jemand vor ihr hervor und blockierte ihren Weg und das Licht. Biba trat überraschend zurück und dann begann ihr Puls schmerzhaft zu rasen, als die Gestalt nach ihr griff. Ihr Angreifer packte sie an den Schultern und schlug ihren Rücken hart gegen den letzten Anhänger.

COSIMO UNTERHIELT sich eine Weile mit Channing und Lars und überlegte dann, ob er etwas zu essen holen gehen sollte. Er entschied, dass er keinen Hunger hatte, sondern schrieb Nicco eine SMS, um ihm zu sagen, dass er einen Wagen arrangiert hatte, um ihn abzuholen und ihn übernächstes Wochenende zum Set zu bringen.

Er wartete auf eine Antwort und dachte nicht, dass so bald eine käme, aber als sein Telefon piepste, hasste er die erbärmliche Aufregung, die er fühlte. Es war nur eine SMS, um Himmels willen. Sein Vergnügen ließ bald nach, als er Niccos Antwort sah.

Cool.

Das war's. *Besser als nichts,* dachte Cosimo betrübt. Wie zum Teufel würde dieses Wochenende mit einem einsilbigen Teenager im Schlepptau ablaufen? Scheiße. Vielleicht hätte er es sich noch ein wenig mehr überlegen sollen. Er fragte sich, ob er einige der jüngeren Mitglieder der Crew überreden könnte, ihm zu helfen, eine gemeinsame Ebene zu finden. Rich und Gunter würden sicherlich helfen - Nicco würde ihre Späße lustig und cool finden... Und was ist mit Biba? Sie konnte nicht älter als 22 oder höchstens 23 sein.

Gott. So jung. Cosimo fühlte in letzter Zeit jedes seiner vierzig Jahre. Heute, obwohl er den Verlust seines Nebendarstellers auch nur für einen Tag nicht wirklich sanktionieren konnte, war er schließlich aus der Trägheit geschüttelt worden, die er durch das Lachen empfunden hatte. Gott, er vermisste es, einfach nur herumzuhängen und über alberne Sachen zu lachen, über alles, eine dumme Fernsehsendung oder einfach nur über Freunde, die albern sind. Er hatte die Freundschaft, die Nähe zwischen Biba, Rich und Gunter gesehen - auch die tiefe Freundschaft von Biba mit Reggie Quinn, dem geekigen, süßen und – Cosimo vermutete – schwulen Co-Autoren des Films. Er beneidete sie um das Vertrauen, das sie untereinander hatten, die Verbindung.

Als Grace gestorben war, hatte er die Freundschaften, die sie geteilt hatten, verschwinden lassen, ohne Zeit mit den Leuten zu verbringen, die sie als Paar gekannt hatten. Es war einfach zu verdammt schmerzhaft. Aber jetzt wünschte er sich, er hätte es mehr versucht. Vielleicht sollte er ein oder zwei von ihnen anrufen und das Wasser testen.

Du klingst wie ein so trauriger Sack. Cosimo seufzte und nahm seine Schachtel Zigaretten. Er schwor Olivia, dass er mit dem Rauchen aufhören würde, bevor er vierzig Jahre alt wurde, aber er hatte nur nachts eine, um sich zu entspannen und runterzukommen.

Er ging hinaus in die Nachtluft, wandte sich dem See zu... und hörte sie schreien.

EINE HAND DRÜCKTE über ihren Mund und der Körper des Mannes drückte hart gegen ihren. Biba's Panik machte es ihr schwer, ihren Angreifer zu identifizieren, bis er sprach.

„Du kleine Fotze." Damon. Oh Gott. „Ich weiß, dass du das mit dem Kleber warst. Was zum Teufel denkst du, machst du hier eigentlich?"

„Ich war es nicht! Jetzt nimm deine dreckigen Hände von mir!" Sie versuchte, ihn wegzustoßen, aber er war doppelt so groß wie sie und das Ergebnis von Steroiden. Er schob sie härter in die Anhängerwand.

„Nein, ich glaube nicht, dass ich das werde. Erst wenn du es wieder gut gemacht hast und jetzt, wo Stella mich ausgeschlossen zu haben scheint, kannst du ihren Platz einnehmen."

Biba war verängstigt, als Damon ihre Jeans aufzerrte. „Nein, nein, nein..." Sie zappelte und geriet in Panik, aber er bedeckte ihren Mund, als er seine Hand zwischen ihre Beine steckte.

„Komm schon, Schönheit, gib es auf. Ich weiß, dass du diesen kleinen Schwanzlutscher Quinn nicht fickst, also wo ist der Unterschied?"

Er zog jetzt an ihrem Höschen. Biba biss hart auf seine Hand und als er sie mit einem schmerzhaften Schrei losließ, schrie sie aus vollem Herzen. Damon, der jetzt wütend wurde, schlug ihr brutal ins Gesicht und Biba fiel zu Boden. In einer Sekunde war er auf ihr und sie spürte das warme Fleisch seines Penis an ihrem nackten Oberschenkel. *Nein! Niemals, das konnte nicht passieren!*

„Bitte! Aufhören! Ich will das nicht..."

„Es ist mir scheißegal, ob du das willst oder nicht, du kleine Fotze. Wer zum Teufel bist du, dass du dich entscheiden kannst? Öffne deine verdammten Beine."

Biba klemmte ihre Oberschenkel enger zusammen und Damon schlug ihr knurrend hart in den Bauch. Die ganze Luft wurde aus ihren Lungen gepresst, als sie vor Schmerz keuchte und dann drückte Damon ihre Beine auseinander und fing an, sich gegen sie zu drücken.

Dann, aus dem Nichts, zog ein Wirbelwind aus Wut und Zorn Damon hoch und warf ihn mit reiner Körperkraft über den Boden weg von Biba und dann wickelten sanfte Arme einen Mantel um sie.

„Es ist okay, Süße, wir haben dich. Rich, Gunter, haltet dieses Arschloch fest, bis die Polizei kommt. Reggie, geh und ruf die Polizei... Ich kümmere mich um Biba."

Durch den Nebel von Schock und Schrecken wurde Biba klar, dass Cosimo sie so zärtlich hielt. Sie konnte nicht anders, als sich in den Komfort und die Sicherheit seiner Arme zu schmiegen. Er hob sie hoch und trug sie in das Herrenhaus. Die Hausbesitzerin warf einen Blick auf Biba und eilte zu Hilfe.

„Lass sie uns in die Lakewood Suite bringen", sagte ihre sanfte Stimme, „das Bett ist bequem und es brennt ein Feuer. Ich mache einen Tee."

Cosimo trug sie in den Raum, als ob sie nichts wiegen würde und legte sie auf die Bettdecke. Biba geriet in Panik bei dem Gedanken, dass er sie verlassen würde, aber als er das Laken um sie herum verstaute, blieb er, seine Arme um sie gelegt.

„Es ist okay, Süße. Die Polizei wird bald hier sein und wir lassen dich von einem Arzt untersuchen." Er streichelte ihr Haar von ihrem Gesicht weg und sie fühlte, wie seine Lippen gegen ihre Schläfen drückten.

Biba ließ den Schock und den Schrecken aus ihren Knochen tropfen. „Es tut mir so leid, Cosimo", sagte sie, „Ich habe ihn nicht kommen sehen."

„Keine Sorge, Biba. Damon wird dich nie wieder stören, wenn er seine Karriere behalten will. Er sollte im Gefängnis sein. Hat er dir wehgetan?"

Sie nickte. „Aber er hat nicht... Ich meine, ich habe ihn nicht gelassen..." Sie konnte das Wort ‚Vergewaltigung' nicht laut aussprechen.

Cosimo bewegte sich, damit er ihr Gesicht studieren konnte. „Das hast du gut gemacht. Du hast genau das getan, was du tun solltest.“ Es klopfte an der Tür und Cosimo sah sie an. „Bist du bereit?“

Sie nickte. „Bitte lass mich nicht allein.“

Er lehnte seine Stirn an ihre. „Niemals“, flüsterte er. „Ich werde dich nie verlassen.“

Und in diesem Moment wussten sie beide, dass sich zwischen ihnen etwas unwiderruflich verändert hatte.

4

KAPITEL VIER

Das Polizeigespräch war erschütternd, weil Biba das Geschehene noch einmal durchleben musste. Damon wurde verhaftet, aber die Polizei warnte sie, dass er mit seinen Verbindungen und seinem Geld bald auf Kaution frei sein würde. Cosimo versicherte der Polizei, dass die Sicherheit am Set erhöht würde. „Er wird niemandem hier in die Nähe kommen", sagte er, seine Stimme wie Stein.

Er rief Rich und Gunter zu sich und nachdem er ihnen einen Arschtritt verpasst hatte, weil sie Biba in ihre Streiche gezogen hatten, sagte er ihnen, sie sollten mehr Sicherheitsleute einstellen. „Irgendeine Spur von Tracy und er wird zu Brei verarbeitet, verstanden?"

Sowohl Rich als auch Gunter sahen von den Ereignissen des Abends schockiert aus. Rich blickte an seinem Chef vorbei zur geschlossenen Tür der Suite. „Können wir zu Biba gehen? Ich muss mich entschuldigen."

Cosimo schüttelte den Kopf. „Der Arzt ist bei ihr... er sammelt... Beweise."

Sowohl Gunter als auch Richs Gesichter sahen so übel aus, wie

Cosimo sich fühlte. „Mein Gott." Gunter schüttelte den Kopf und Cosimo seufzte.

„Ich glaube, sie braucht etwas Ruhe und Frieden.

Kaum waren die Worte aus seinem Mund, als Stella in den Raum krachte, mit wehendem Bademantel und Schal, ihr Gesicht blass - aber immer noch schön geschminkt. „Cosimo, Gott sei Dank." Sie legte ihre Hände auf seine Brust und blickte in seine Augen. „Wie geht es ihr? Ist sie schwer verletzt? Bist du es?"

Cosimo zog sich aus Stellas Griff heraus und schob sie sanft weg. „Biba wird es gut gehen. Sie braucht nur Ruhe und Fürsorge für ein oder zwei Tage. Wirst du ohne sie zurechtkommen?" So wie er es formulierte, war der Ton seiner Stimme sehr klar. *Du* wirst *ohne sie zurechtkommen, ob es dir gefällt oder nicht.*

Stella hatte sich offensichtlich entschieden, großmütig zu sein. „Natürlich, natürlich. Oh je, was für eine schreckliche Sache, die da passiert. Ich gebe mir die Schuld."

Cosimo nickte mit dem Kopf zu Rich und Gunter und auf sein Signal hin flohen sie. Cosimo setzte sich hin und wünschte sich, er könnte drinnen rauchen und stellte sich stattdessen auf Stellas Drama ein.

Stella warf ihre Hände weit aus. „Ich wusste, dass er Ärger macht. Ich hätte Biba schützen sollen, mich selbst schützen sollen. Es tut mir leid, Cosimo. Das tut es wirklich."

Oh Gott, es würde eine lange Nacht werden. „Stella... Ich glaube, wir haben jetzt mit Damon abgeschlossen. Gegenbeschuldigungen haben keinen Sinn. Damon war derjenige, der die Schuld trug, sonst niemand."

Stella zupfte an ihren Nägeln herum. „Hast du ihn gefeuert?"

„Offensichtlich... Glücklicherweise hatten wir bereits jemanden als Nachfolger, falls wir Probleme mit Damon haben sollten."

Stella lächelte. „Du kanntest offensichtlich seinen Ruf."

„Er war bei diesem Film nicht meine erste Wahl. Das Studio wollte ihn. Ich glaube, sie wollten aus eurer Off-Screen-Beziehung Kapital schlagen."

Stella lachte leise. „So wie es war. Es war nie ernst, Cosimo, das weißt du. Ich war nicht bereit, mit jemandem ernst zu werden, bis..." Sie schob ihre Augen zimperlich von seinen weg. „Nun..."

Cosimo musste sich davon abhalten, die Augen zu verdrehen. Glücklicherweise kam der Arzt im nächsten Moment aus Biba's Zimmer heraus. Cosimo stand auf, um ihm die Hand zu schütteln.

„Ihr wird es zumindest körperlich gut gehen. Offensichtlich ist es nicht meine Erlaubnis, Ihnen meine Ergebnisse mitzuteilen, also müssen Sie Miss May fragen. Ich habe ihr eine Schlaftablette für heute Abend verschrieben und ihr geraten, sie zu nehmen. Nur um sicherzustellen, dass sie sich etwas ausruht."

„Danke, Doktor. Ich hoffe..."

„Darf sie Besuch haben?", unterbrach Stella Cosimo und der Arzt bemerkte sie schließlich. Seine Augen weiteten sich ein wenig - offensichtlich ein wenig Promi-verliebt.

„Nun... sie sagte nur Mr. DeLuca oder Mr. Quinn..."

„Dann ist das endgültig", sagte Cosimo fest. „Doktor, danke." Er wartete, bis der Arzt gegangen war, bevor er sich an Stella wandte. „Stella, danke, aber ich habe das hier im Griff. Ich lasse es dich morgen früh wissen, wenn sich etwas ändert."

Stella wollte diskutieren, aber in diesem Moment kam Reggie, atemlos, nervös, in den Raum. „Geht es ihr gut? Geht es Biba gut?"

Cosimo beruhigte ihn. „Du kannst reingehen", sagte er sanft und klopfte ihm auf die Schulter. „Sie will dich sehen."

Er nickte Stella zu - als Verabschiedung - und war erleichtert, als sie den Hinweis wahrnahm. „Sag mir Bescheid, wenn du etwas brauchst." Sie berührte wieder seine Brust und ging dann nach links. Ihr Duft, schwer und verführerisch, folgte ihr und Cosimo seufzte.

Er ließ sich auf einen Stuhl fallen, endlich allein und versuchte, den Schrecken des Geschehens zu verarbeiten. Zweifellos wäre das Studio empört, aber zumindest könnte er sich dort verteidigen. Damon war ihre Wahl gewesen. Sie würden alles tun, um die Geschichte so zu drehen, wie es ihnen passte und sie würden wollen, dass Cosimo und Biba ihren Mund hielten. Cosimo kümmerte sich nicht um sich selbst, aber wenn das Studio entschied, dass sie ersetzbar war... nein. Er würde sie beschützen, bis sie sich zurückzogen - das war ein Kinderspiel. Sie konnten keinen Vergewaltiger einstellen und dann dem Opfer die Schuld geben. Fick auf sie.

Die Wut tobte in ihm, aber mehr als das, konnte er nicht aufhören, diesen Schrei zu hören - ihr panischer, seelenzerstörender Schrei. Biba schien wie jemand, der sich nicht so leicht erschreckte, aber der Schrei, den sie von sich gegeben hatte, war reiner Horror. Gott, armes Kind.

Er rieb sich die Augen, entleert. *Scheiß auf diese Welt, scheiß auf alle Gefährder in ihr.* Es war ihm egal, dass er jetzt ein paar Tage der Dreharbeiten vergeuden musste. Er wusste schon, wen er anrufen würde, um Damon zu ersetzen - seinen alten Freund Sifrido Tofaro. Sifrido schaffte es gerade erst nach Hollywood, nachdem er über ein Jahrzehnt lang ein A-plus-Lister in italienischen Filmen war - er wäre perfekt für die Rolle von Henry in dieser Sache. Er würde ihn am Morgen anrufen.

Cosimo hörte, wie Reggie aus Biba's Zimmer kam und blickte auf. „Geht es ihr gut?"

Reggie nickte und sah gezeichnet aus. „Ja, das wird schon. Nur erschrocken, glaube ich. Es... nun... es ist nicht das erste Mal... Vergiss es. Schau, danke, Cosimo, wirklich. Danke, dass du dich um sie gekümmert hast."

„Jederzeit."

Reggie nickte. „Bleibst du hier oben?"

„Für den Seelenfrieden."

Reggie lächelte ihn an. „Cool. Biba ist noch wach, wenn du reingehen willst. Ich weiß, dass sie sich selbst bei dir bedanken will."

„Das ist nicht nötig, aber ich gehe und sage gute Nacht. Danke, Reggie."

„Wir sehen uns morgen früh."

Biba hörte das sanfte Klopfen an der Tür und ihr Herz begann etwas schneller zu schlagen. „Komm rein."

Sie seufzte fast vor Freude, als Cosimo hereinkam. Gott, der Mann war so verdammt... wunderschön. Das war das einzige Wort für ihn. Das Beruhigungsmittel, das der Arzt ihr gegeben hatte, wirkte und ihr Verstand war ein wenig wirr. Sie lächelte ihn an. „Hallo noch mal, Retter."

Sein Lächeln war süß. „Nichts, was jemand anderes nicht getan hätte. Wie fühlst du dich?"

Sie nickte. „In Ordnung. Ein bisschen wuschig – der Arzt hat mir das gute Zeug gegeben."

Cosimo lachte. „Gut, du verdienst es. Schau, nimm dir morgen frei. Zum Teufel, nimm dir so viel Zeit, wie du brauchst."

Sie streckte ihre Hand aus und er nahm sie und wickelte seine Finger zwischen ihre, als er auf der Seite des Bettes saß. Sein Daumen streichelte ein sanftes Muster über den Handrücken. „Danke, Cosimo. Ich meine es ernst."

Cosimo zögerte, bevor er einen Finger über ihre Wange zog. „Ich werde nie zulassen, dass dir jemand wehtut", sagte er, seine Stimme brach. „Damon ist im Gefängnis. Wenn er nicht dort bleiben will, wird er nie wieder in deiner Nähe kommen, versprochen." Er seufzte. „Es tut mir so leid, dass das passiert ist, Biba. Ich habe Rich bereits in den Arsch getreten."

Ihre Augen weiteten sich. „Bitte feuer ihn nicht."

„Das werde ich nicht, keine Sorge. Damon... war eine tickende Zeitbombe. Reggie hat mir erzählt, dass er dich schon mal belästigt hat."

„Ein wenig. Nichts, womit ich nicht umgehen könnte."

Cosimo lächelte. „Ich glaube dir."

Sie sahen sich an und hielten immer noch Händchen. Die Stille dehnte sich aus, aber beide fühlten sich nicht unangenehm. Schließlich lachte Cosimo mit neugierigen Augen auf. „Was ist hier los?"

Biba lächelte mit brennendem Gesicht. „Ich weiß nicht. Aber ich... ich mag es."

Cosimo streichelte ihre Hände. „Ich auch."

Gott, sie wollte ihn so sehr küssen, aber sie wusste, dass es falsch sein würde. Er war ihr Boss und er hatte sie gerade davor bewahrt, vergewaltigt zu werden... oder noch schlimmer. „Freunde sind immer ein guter Anfang", sagte sie leise und Cosimo nickte.

„Gott weiß, dass ich ein paar gebrauchen kann."

Biba drückte seine Hand. „Es tut mir leid wegen deiner Frau, Cosimo. Reggie hat mir von ihr erzählt."

„Danke, Süße. Hey, hör zu, mein Sohn kommt in einer Woche oder so aus Seattle. Er ist... sagen wir einfach, er ist sechzehn und im Moment nicht so sehr in seinen Vater verliebt. Wenn du irgendwelche Ideen hast, wie man ihn unterhalten kann, bin ich ganz Ohr."

Biba lächelte. „Ich werde darüber nachdenken."

Cosimo nickte und zögerte, wie es schien, ihre Hand loszulassen. Er lehnte sich nach vorne und drückte seine Lippen auf ihre Stirn. „Ruh dich jetzt aus, Beebs. Sieh, wie du dich morgens fühlst."

Ihr ganzer Körper schrie ihm zu, ihren Mund zu küssen, aber er stand auf und verließ den Raum, warf ihr ein letztes, verheerendes Lächeln zu, bevor er die Tür hinter sich schloss.

Biba lehnte sich zurück und fühlte, wie sich der Schlaf über ihren Körper zu legen begann. Ihr Bauch schmerzte, wo Damon sie geschlagen hatte, aber es war ihr egal. Es ging ihr gut. Und sie hatte einen neuen Freund.

In den Momenten vor dem Einschlafen sagte sie sich, dass sie sich nicht in Cosimo DeLuca verliebte, aber sie wusste, dass das tief im Inneren nicht wahr war.

5

KAPITEL FÜNF

Am Morgen wachte Biba auf, ihr Kopf war neblig von der Schlaftablette. Sie drehte sich im Bett um und sah auf den Wecker. Fünf Uhr morgens. Sie legte sich seufzend zurück. So viel zum Thema Tablette. Ihr Magen knurrte und sie erkannte, dass sie Hunger hatte und ihr Hunger wahrscheinlich das war, was sie aufgeweckt hatte. Sie rutschte vom Bett und zerrte einen Bademantel um sich herum. Als sie die Tür zur Suite öffnete, war sie erstaunt, Cosimo zu sehen, der sich in einem Stuhl ausstreckte und seinen Kopf auf seiner Hand ruhte. Er war geblieben.

Ihre Emotionen im Aufruhr, Biba kauerte an seiner Seite. „Cosimo?" Ihre Stimme war ein Flüstern. Er bewegte sich nicht. Biba berührte ihn mit zitternder Hand, ihre Hand lag leicht auf seinem Bauch. „Cosimo?"

Cosimo öffnete langsam die Augen und starrte sie an. Biba war fast atemlos. Cosimos Hand bedeckte ihre Hand, die auf seinem Bauch lag, aber er schwieg. Biba beugte sich vor und küsste seinen Mund, nur einmal, leicht...

Schon waren seine Hände in ihrem Haar, sein Mund rau gegen ihren, als er sie zurückküsste, fast heftig in seinem Verlangen nach ihr. Als er sich hinstellte und sie auf die Beine zog, schaute er ihr aufmerksam in die Augen. „Bist du sicher?“

Biba nickte und wusste, dass dieser Moment derjenige war, in dem sich ihr Leben für immer veränderte. Im Schlafzimmer zog sie seinen Pullover aus und fuhr mit den Händen leicht über seine harte Brust. Seine Hände lagen am Bund ihrer Jeans und als sie sich auszogen, küssten sie sich, die Lippen fordernd und hungrig nach den Lippen der anderen.

Er legte sie zurück auf das Bett und hängte ihre Beine um seine Taille. „Biba...“ flüsterte er als er sanft in sie eindrang...

BIBA ÖFFNETE IHRE AUGEN. *Verdammt. Oh, verdammt.* Was für ein Traum ausgerechnet jetzt... und verdammt sei ihr Unterbewusstsein, weil es sie geweckt hatte, bevor sie sich vorstellen konnte, wie es wäre, mit Cosimo DeLuca zu schlafen. Sie schob die Laken auf dem Bett nach hinten, ihr Körper war ein wenig kalt und steif. Ihr Bauch schmerzte stark und als sie ihr T-Shirt hochzog, sah sie den blauen Abdruck von Damons Knöcheln auf ihrer Haut. Scheißkerl.

Biba rollte aus dem Bett und stöhnte ein wenig. Es war noch früh, das hellblaue Licht der Morgendämmerung blitzte durch das Fenster. Biba zog ihre Turnschuhe an und schlich sich aus dem Raum. Wie in ihrem Traum schlief Cosimo auf einem Sessel im Wohnzimmer und sie lächelte vor sich hin. Sie fand eine Überdecke und legte sie sanft auf ihn. Er sah aus, als bräuchte er den Schlaf und sie sehnte sich danach, die violetten Schatten unter seinen Augen mit ihrer Fingerspitze zu verfolgen.

Sie fand ein Stück Papier und kritzelte eilig eine Notiz, bevor er aufwachte.

COSIMO,

Vielen Dank für das, was du gestern Abend für mich getan hast. Ich werde es dir nie zurückzahlen können.

Mir geht es heute viel besser, also bin ich wieder bei der Arbeit. Ich werde versuchen, mir ein paar lustige Dinge auszudenken, die du mit deinem Sohn machen kannst.

Nochmals vielen Dank,

Biba.

Biba hielt inne, radierte dann ihren Namen aus und schrieb: *Deine Freundin, immer, Biba.* Sie balancierte es auf seinem Bauch, wo sie sicher war, dass es nicht herunterfallen würde und widersetzte sich der Versuchung, den harten Muskel unter dem leichten Baumwollhemd zu streicheln und ließ ihn schlafen.

Sie ging langsam zurück zu dem Wohnwagen und fragte sich, ob sie direkt zu Stella gehen sollte - es muss schon fast sechs Uhr morgens sein und sie sollten um sieben Uhr mit der Arbeit anfangen. Sie öffnete die Tür zum Anhänger, um Stella bereits wach und angezogen zu sehen. Biba lächelte ihren Chef halb an. „Hey."

„Selber hey." Stella studierte sie. „Wie fühlst du dich?"

„Steif, aber sonst gut. Wolltest du, dass ich einen Kaffee hole?"

„Kommt schon. Mit Frühstück, für uns beide."

Biba blinzelte. „Was?"

Stella lächelte. „Ich bin keine totale Zicke, Biba. Du hast eine schlechte Nacht hinter dir. Komm schon, setz dich hin. Du arbeitest heute nicht."

Stella wäre natürlich nicht Stella, wenn sie den Klatsch über alles nicht hörte und so ließ sie Biba ihr alles erzählen. Zu Bibas Erleichterung verweilte Stella nicht bei dem Angriff, sondern wie Cosimo sich danach verhielt.

„Er war süß", sagte Biba ihr, „süß und professionell." Das war fast die Wahrheit. Sie spürte immer noch die Berührung seiner Hand auf ihrer Wange - die Zärtlichkeit, die Intimität der Geste - aber sie war verdammt, wenn sie dieses Detail mit Stella teilen würde.

Sie wusste natürlich, was Stella wollte. Sie wollte wissen, ob Cosimo über sie gesprochen hatte; es war ihr egal, ob Biba Zeit mit dem Regisseur verbringen konnte. Es kam Stella nie in den Sinn, dass Cosimo und Biba eine Verbindung teilen könnten und die Idee einer Anziehungskraft zwischen ihnen wäre für den blonden Filmstar lächerlich.

Biba war dankbar für diese Tatsache. Es bedeutete, dass Stella nicht eifersüchtig oder zickig wäre, wenn Cosimo und Biba miteinander reden würden. Und, Gott, sie wollte mit ihm reden, etwas über ihn, seinen Sohn, sein Leben herausfinden. Sie hatte einen Vorgeschmack darauf, wie eine Freundschaft mit ihm sein könnte und Biba wollte mehr.

NACH DEM FRÜHSTÜCK schien Stella zu vergessen, dass sie Biba den freien Tag gegeben hatte, aber Biba war dankbar für die Liste der Aufgaben, die Stella ihr zugebellt hatte. Herumlungern war nicht Biba's Stil und je schneller sie wieder an die Arbeit kam, dachte sie, desto schneller würde sich die Faszination ihrer Kollegen für das Geschehene auflösen.

COSIMO WAR ÜBERRASCHT, als er Biba am Set wieder an Stellas Seite sah. Er lächelte die junge Frau an und sie grinste zurück. „Alles in Ordnung?“, sagte er zu ihr und sie nickte, ihr süßes Gesicht leuchtete auf.

Cosimo spürte eine Veränderung in ihm. Biba May war fast halb so alt wie er, aber es gab etwas in ihrer Natur, ihrem Geist, ihrem Umgang mit Stella Reckless, das ihrem jungen Alter widersprach. Sie war eine reife Seele, wie er. Sie war wunderschön, aber das war es nicht, was ihn zu ihr hingezogen hat. Cosimo hatte sich mit einigen der schönsten Frauen der Welt getroffen, gedated, sogar geschlafen und wusste sehr wohl, dass Schönheit am Ende nichts bedeutete. Freundlichkeit, Intelligenz, Humor, das ist es, wonach er suchte.

Er hielt sich zurück. Woah. Er dachte darüber nach, was er bei einer Frau sucht? Das war... ein Fortschritt. So hätte Grace es genannt... Fortschritt. *Du würdest Biba mögen, Grace... aber ich würde jetzt nicht nach deiner Zustimmung suchen und du würdest nicht wollen, dass ich es tue. Kann ich wirklich weitermachen?* Cosimo beobachtete, wie Biba sich mit der Crew bewegte, lachte und mit ihnen scherzte, aber gleichzeitig effizient und verantwortungsbewusst blieb.

„Cos? Bist du bereit?", rief Lars, sein stellvertretender Direktor, zu ihm herüber und Cosimo wechselte zurück in den Regie-Modus.

Die Dreharbeiten verliefen reibungslos. Der Mann, der ‚Thornton', Stellas viel älterer Ehemann, spielte, war ein italienischer Star, der sich Jahrzehnte vor der Geburt von Stella einen Namen gemacht hatte. Franco Discali war ein altmodischer Gentleman, respektvoll, aber kokett mit den weiblichen Mitgliedern der Crew. Er hatte wenig Zeit für Diva-Geschichten, aber er hatte sich ein wenig in Biba verguckt und sie wiederum verehrte den älteren Mann. Er war lustig und gebildet und sie liebte es, mit ihm über Filme und seine Karriere zu sprechen.

Jetzt, als er wartete, um seine nächste Szene zu drehen, winkte er Biba zu. „*Buongiorno*, Biba May."

Biba kicherte. Franco nannte sie immer mit ihrem vollen Namen und Biba war sich nicht sicher, ob es daran lag, dass er dachte, es sei ihr voller Name - wie Biba-May Bloggs - oder ob er es besser wusste und es einfach mochte, ihren vollen Namen zu benutzen. Franco war so neckisch.

„*Buongiorno*, Franco. Hast du alles, was du brauchst?"

„Es geht mir gut. Ich wünschte, Stella würde sich beeilen und ihre Zeilen lesen. Sie scheint mit Cosimo zu flirten, anstatt zu schauspielern."

Biba blickte zu Stella hinüber, die ihre Hand an Cosimos Arm auf und ab rieb. Biba blickte weg und versuchte, den Stich der Eifersucht zu unterdrücken, der in ihrem Magen aufkeimte. Dennoch konnte sie nicht anders, als mit Franco über Cosimo zu sprechen.

„Du hast schon mal mit Cosimo gearbeitet, oder?"

„Viele Male, seit er seine Karriere begonnen hat." Es gab einen seltsamen Hauch von väterlichem Stolz auf Francos Stimme. „Ich habe noch nie jemanden mit seiner Vision gesehen. Ich hätte vor einem Jahrzehnt in den Ruhestand gehen sollen, aber ich wollte weiterhin mit ihm zusammenarbeiten. Ich spiele jetzt nur noch in Cosimos Filmen."

Biba war gerührt. „Er ist ein guter Kerl."

„Das ist er, das ist er wirklich. Ich kannte seine Mutter, du weißt schon, damals." Franco lächelte Biba an. „Du erinnerst mich an sie."

„Wie das?"

„Deine Güte. Sie würde dich mögen." Franco blickte zurück zu Stella und sein Mund zuckte in einem Grinsen auf. „Im Gegensatz zu Ms. Reckless. Sie ist nicht sehr subtil, oder?"

Biba grinste. „Nein. In keiner Weise. Auf seltsame Weise bewundere ich sie dafür, dass sie sagt, was sie will."

„Aber es gibt kein Geheimnis, keine Verlockung." Franco studierte sie. „Cosimo hat mir erzählt, was passiert ist, Biba May. Es tut mir so leid."

Biba spürte einen Kloß im Hals, also nickte sie einfach. „Danke, Franco."

Die Dreharbeiten verliefen für den Rest des Tages reibungslos und erst als sie für eine Mahlzeit pausierten, kam Rich, um sie zu finden. Ausnahmsweise waren seine leuchtend blauen Augen ernst. „Beebs, es tut mir so leid. Ich hatte keine Ahnung, dass Damon so reagieren würde."

Biba lächelte ihn an. „Mach dir keine Sorgen, Rich, wirklich. Er ist weg, das ist alles, was zählt. Hat Cosimo dich angemacht?"

„Und noch einiges mehr, aber ich habe es verdient." Er lächelte sie mitleidig an. „Aber er hat mir gesagt, dass du ihn gebeten hast, mich nicht zu feuern. Ich bin dir dankbar, Beebs, wirklich."

Biba umarmte ihn. Rich hatte ein gutes Herz, auch wenn er manchmal gedankenlos war. Er drückte sie in seinen Armen. Sie kannten sich schon lange genug, dass sie so nah waren wie...

„Beebs?"

„Jawohl?"

„Vielleicht könnte ich eines Nachts mit dir ausgehen?"

Woah. Biba sah zu ihm auf. Es war nicht zu leugnen, dass er absolut wunderschön war, mit seinen dunklen Haare und leuchtend blauen Augen und dem sexy Lächeln... und es machte ihr nichts aus, dass er fragte. Sie war geschmeichelt, aber...

Sie schoss einen kurzen Blick auf Cosimo. *Nicht deine Liga, Mädchen und das weißt du auch. Er ist ein erwachsener Mann. Du bist noch ein Kind.* Sie lächelte Rich an. „Das wäre lustig... Ich muss dich warnen, dass ich, ähm... nicht nach etwas Ernstem suche."

Reiches Grinsen. „Ich auch nicht. Ich dachte nur, wir könnten etwas Spaß haben."

Die Art von Spaß, die Rich wollte, war auch nicht das, wonach sie suchte, aber Biba dachte, sie könne später ehrlich zu ihm sein. Rich war überhaupt nicht bedrohlich und zumindest fühlte sich Biba bei ihm sicher und zwar auf eine Art und Weise, die sie noch bei niemandem gefühlt hatte... *jemals.*

Cosimo sah sie jetzt an und lächelte und Bibas Bauch zitterte vor Verlangen. Hör auf damit. Sie gab ihm ein halbes Lächeln und bewegte sich dann aus seiner Blickrichtung. Ja, du musst Rich sagen, dass es nirgendwo hinführen wird. Aber der Gedanke an einen Abend mit dem lustigen Rich war wahrscheinlich das, was sie jetzt brauchte - und wenn etwas daraus wurde, würde es sie zumindest davon ablenken, an Cosimo DeLuca zu denken.

Nach dem Abendessen holte Cosimo sie ein, als sie langsam zu den Wohnwagen ging. „Hey."

Ihre Haut zitterte vor Vergnügen und sie lächelte ihn an. Sogar sein „Hey" hatte so viel Intimität. Sie wollte sich in seine Arme werfen, seinen holzig-würzigen Duft einatmen, ihren Mund gegen seine Lippen drücken.

Oh Gott. Hör auf. „Wie fühlst du dich?"

Sie nickte. „Mir geht es gut, ehrlich gesagt. Stella hat mich überall hingeschickt, also hatte ich keine Zeit, mich zu setzen und nachzudenken. Was gut ist."

Cosimo runzelte die Stirn. „Aber du hast verarbeitet, was passiert ist?"

Biba wusste nicht, wie sie ihm antworten sollte. „Es ist passiert. Ich kann es mich nicht... aufhalten lassen."

Seine Augen waren so ernst, so intensiv für ihre. „Süße... vielleicht solltest du zu einer Psychologin gehen? Ich mache mir Sorgen um eine posttraumatische Belastungsstörung."

Gott, er war reizend. „Mir geht es wirklich gut, Cosimo, ich schwöre es. Aber ich weiß deine Sorge zu schätzen."

Bitte berühre mich, bitte berühre mich nicht. Biba konnte sich nicht von seinem Blick abwenden. Cosimos Finger griffen nach ihrem Gesicht und fielen dann hinunter, als ob ihm klar wurde, was er vorhatte zu tun. Er sah weg.

„Da draußen auf dem See ist ein Nebel. Ich gehe heute Abend gegen zehn Uhr da runter, falls du und der Hund des Hausmeisters in der Nähe seid. Wenn du Lust zum Reden hast."

Biba konnte sehen, dass seine Wangen ein wenig errötet waren und sie fühlte, wie ihr eigenes Gesicht brannte. Sie nickte. „Das klingt nach etwas, was ich tun könnte." Gott, die ganze Sache war so unangenehm und doch berauschend.

„Gut. Bis später dann." Er lächelte mit Falten in den Augenwinkel, dann nickte er und ging weg. Biba starrte ihm nach. Warum zum Teufel hatte dieser Mann so eine Wirkung auf sie? Ihr Puls schlug ständig zwischen ihren Beinen und sie wollte ihm nachgehen, ihre Beine um seine Taille wickeln und ihn anflehen, sie zu ficken...

Eine kalte Dusche. Eine sehr, sehr kalte Dusche war das, was sie jetzt brauchte. Sie drehte sich um und ging zurück in ihr Zimmer.

Er beobachtete Biba May im Gespräch mit Cosimo DeLuca. Das war interessant. Es war eindeutig etwas zwischen ihnen los, wenn die Art und Weise, wie sie sich ansahen, etwas war, an dem man es messen konnten. Gut. Es würde bedeuten, dass Stellas Assistentin abgelenkt wäre und er Zugang zur Blondine hätte.

Sie verfolgte seine Träume und hatte es schon getan, als er noch

Teenager gewesen ist. Es war ihm egal, dass sie viel älter war als er. Ihre glatte Haut und ihre eisblauen Augen ließen seine Leiste anspannen. Bald würde er seinen Schwanz tief in ihre einladende Fotze stecken und sie würde ihm immer wieder sagen, wie sehr sie ihn liebt. Dann, sobald die Dreharbeiten abgeschlossen waren, gingen sie in seine Hütte unten in den Wäldern von Oregon und dort, mit seinem Messer, würde er ihr zeigen, wie viel sie ihm bedeutete, bevor er sich ihr in der Welt der Toten für immer anschloss.

6

KAPITEL SECHS

Es war heute Abend dunkler, der Mond von Wolken bedeckt, als Biba zum See hinunterging. Sie hatte sich gegen die Mitnahme des Hundes entschieden und sie sagte sich, dass es daran lag, dass sich der Hund langweilen würde, wenn sie sich hinsetzen würden, um zu reden.

Cosimos Lächeln, als sie ihn sah, ließ ihr Herz höher schlagen. „Hey", sagte sie schüchtern.

Cosimo nickte in Richtung eines kleinen Steges, auf einem Weg entlang des Ufers. „Es ist privat."

Am Ende des Steges befand sich eine kleine Bank, über der eine Lampe schwaches Licht strahlte. Cosimo zog seinen Pullover aus und legte ihn um Biba's Schultern, als sie zitterte. Das cremefarbene Musselinhemd, das er trug, war leicht durchsichtig und Biba musste ihren Blick von der Form seiner gemeißelten Brust, dem flachen Bauch, der Vertiefung seines Bauchnabels wegreißen.

Sie setzten sich nah auf die Bank, ihr Oberschenkel direkt an seinem. Der Nebel hing in einem geisterhaften weißen Schleier um sie herum. Cosimos Arm war entlang der Oberseite der Bank, seine Finger nahe an Bibas Arm. Wenn sie sich nur ein wenig bewegen würde, wäre es, als ob sein Arm um sie herum wäre...

Sie fühlte sich atemlos und schüchtern. Cosimo studierte sie. „Es ist wunderschön hier, nicht wahr?“

Sie nickte. „Hervorragend.“

Sie sahen sich gegenseitig an. Cosmos Augen waren düster. „Biba... wenn du wüsstest, was mir gerade durch den Kopf geht... aber, ich bin so viel älter als du und ich bin dein Boss.“

„Ich weiß. Nicht so viel älter als ich.“

Cosimo lächelte leicht. „Darf ich fragen, wie alt du bist?“

Biba dachte darüber nach, ihr Alter um ein paar Jahre zu erhöhen, aber sie wusste, dass sie diesen Mann nicht anlügen konnte. „22.“

Er stöhnte und sie kicherte. „Cosimo, du kannst nicht älter sein als...“ Dann erinnerte sie sich, dass er einen sechzehnjährigen Sohn hatte. „Du musst Nicco sehr jung gehabt haben. Kaum ein Teenager.“

Cosimo lachte, sein Lächeln erhellte sein Gesicht. „Gott, du bist näher an seinem Alter als an meinem und...“

Biba beugte sich vor und drückte ihre Lippen an seine, nicht in der Lage sich noch weiter zurückzuhalten. Cosimo erwiederte den Kuss, seine Finger rutschten in ihr Haar, seine Lippen zart gegen ihre. Als sie sich lösten, waren sie beide atemlos. Cosimo schloss die Augen und lehnte seine Stirn gegen ihre. „Wir hätten das nicht tun sollen... aber, Gott, bin ich froh, dass wir das getan haben.“

Biba wiegte sein Gesicht in ihren Handflächen. „Ich habe seit gestern Abend davon geträumt.“

„Ich auch. Ich habe nur Angst, dass es mich zu einem alten Perversen macht.“

Sie lachten beide. „Nun, dann bin ich ein junger Perverser. Ich wollte dich so sehr berühren.“

Cosimo nahm ihre Hand und drückte sie gegen seine Brust, über sein Herz. „Fühlst du das? So hat es nicht mehr geschlagen seit...“

„Seit Grace.“ Biba nickte, fühlte sich wohl über Cosimos Frau zu sprechen. „Ich fühle mich geehrt.“

Mit zitternden Händen brachte sie seine zu ihrer Brust, seine große Hand schröpfte ihre linke Brust. Cosimo streichelte seinen

Daumen über ihre Brustwarze und Biba zitterte. Sie trat von ihm weg und zog ihr T-Shirt über den Kopf, als Cosimo sie beobachtete, dann setzte sie sich mit gespreizten Beinen auf seinen Schoß. Seine Arme schlangen sich um ihre Taille, streichelten ihren Rücken, als er auf ihre Karamellhaut, ihre vollen Brüste, die sanfte Kurve ihres Bauches blickte. „Gott, du bist wunderschön", flüsterte er. Biba verwirrte ihre Finger in seinen dunklen Locken.

„Ich will dich so sehr."

Er antwortete ihr mit einem Knurren und senkte sie auf die kalten Holzbretter des Steges und bedeckte ihren Körper mit seinem. Er küsste ihre Lippen, fur zu ihrem Hals hinunter, zog seine Küsse durch das Tal zwischen ihren Brüsten, dann ihren Bauch runter. Biba zitterte vor Verlangen, als seine Finger den Bund ihrer Jeans fanden.

Als er ihre Jeans von ihren Beinen schob, spürte sie den vertrauten Schrecken, der mit jeder Intimität einherging, aber sie bekämpfte ihn. Sie wollte diesen Mann so sehr, sie wollte ihn so sehr. Seine Finger waren jetzt an den Seiten ihres Höschens und er zog es sanft über ihre Beine.

In einer so verletzlichen Position, völlig nackt mit dem Mann, der die ganze Macht innehatte, fühlte Biba sowohl Schrecken als auch Sehnsucht nach seiner Berührung, dass sie explodieren könnte. Sie ignorierte es und wollte Cosimo so zärtlich ausziehen, wie er es bei ihr getan hatte.

Als sie seinen Schwanz, dick und lang, von seiner Unterwäsche befreite, fühlte sie, wie er pulsierte und sich in ihrer Hand versteifte; sie wusste, dass dies richtig war und war sich noch nie in ihrem Leben so sicher gewesen. Cosimo küsste sie, seine Augen verließen nie ihr Gesicht. „Bist du sicher?"

Biba nickte und wusste, dass sie ihre Nervosität nicht vor ihm verbergen konnte. „Hast du ein...?"

Cosimo lächelte und packte seine Jeans und zog ein Kondom aus der Gesäßtasche. „Denke nicht schlecht von mir... Ich wollte nur vorbereitet sein."

Dass er daran gedacht hatte, mit ihr zu schlafen, machte ihren

Bauch warm. Cosimo schob seine Hand zwischen ihre Beine und fing an, sie zu streicheln.

Sofort reagierte ihr Körper, als würde er angegriffen. *Nein, hör auf*, sagte Biba ihrem Unterbewusstsein heftig. *Ich will diesen Mann. Verdirb es mir nicht.*

Sie zwang sich, sich nur auf Cosimos schönes Gesicht zu konzentrieren, die Weichheit seiner Lippen gegen ihre. Sie wickelte ihre Beine um seine Taille und fühlte, wie sein Schwanz an ihr Geschlecht stieß.

„Ich will dich“, flüsterte sie und Cosimo nickte.

„Meine süße Biba...“

Es war natürlich nicht Cosimos Schuld und sie wollte ihn so sehr, dass sie schreien konnte. Sie konzentrierte sich auf seine Küsse, so süß, so liebevoll. Sie zitterte durch das Vergnügen, dass er sie küsste, aber etwas in ihrem Gehirn hielt sie davon ab, die Höhe zu erreichen, die sie sich vorgestellt hatte. Als sie fühlte, wie sein Schwanz in ihren Eingang eindrang, geriet ihr Körper in Panik und war in Bewegung. „Nein, bitte hör auf... bitte... bitte... es tut mir leid.“ Sie brach in Tränen aus.

Cosimo hielt sie, während sie sich erholte und studierte ihr Gesicht. „Süße Biba... geht es dir gut?“

Sag es ihm. „Nein... Cosimo, es wäre mein... erstes Mal.“

Sein Ausdruck wurde erregt und schockiert und er setzte sich auf. „Dein erstes Mal?“

Sie nickte und war plötzlich unglücklich. „Es tut mir leid.“

Cosimo fuhr mit den Händen durch sein Haar und lehnte sich auf seinen Hüften zurück. Er war großartig anzusehen: kräftig, sein Schwanz noch halb aufrecht, ein feiner Schimmer von Schweiß auf seiner Olivenhaut trotz des kühlen Nebels des Sees. Biba setzte sich auf, fühlte sich entblößt und Cosimo schien es zu bemerken, zog seinen Pullover um ihren nackten Körper, setzte sich neben sie und wickelte sie in seine Arme. „Bitte, es gibt keinen Grund für dich, dich jemals zu entschuldigen... Ich fühle mich einfach, als hätte ich dich im Stich gelassen. Wenn ich es gewusst hätte...“

„Ich wollte dich", sagte Biba fest. „Ich will dich immer noch. Aber etwas in mir ist... kaputt."

Cosimo runzelte die Stirn. „Jungfrau zu sein bedeutet nicht, kaputt zu sein, Liebling." Er suchte in ihren Augen und sie sah, wie sich Verständnis in sie einschlich. „Oh, Gott... Biba..."

Sie nickte. „Ein Freund der Familie, als ich zwölf war. Keine Vergewaltigung, aber es gab andere Dinge. Also wartete ich, bis ich wusste, dass ich wirklich jemanden wollte. Und ich habe dich getroffen."

„Lieber Gott. Ich will ihn töten." Er drückte seine Lippen gegen ihre Stirn. „Wie haben deine Eltern reagiert?"

Ihre Kehle schloss sich und sie lehnte sich in seine Umarmung. „Sie glaubten mir nicht."

„*Oh mein Gott.*" Er spuckte die Worte aus, deutlich erzürnt und seine Arme spannten sich um sie herum. „Liebling, ich wünschte, du hättest schon früher etwas gesagt."

Sie sah zu ihm auf. „Würdest du mich trotzdem wollen, wenn ich es getan hätte?"

Seine grünen Augen waren beunruhigt. „Wir hätten darüber reden sollen... Gott, Biba. Ich bin alt genug, um dein Vater zu sein."

„Sag das nicht, Cosimo. Ich habe mich noch nie so gefühlt." Biba küsste ihn, aber sie konnte spüren, wie er sich jetzt zurückhielt. Gott... „Bitte schließ mich nicht aus."

Cosimos Augenbrauen zogen sich zusammen. „Das ist nicht das, was ich tue." Er begann, ihr ihre Kleider anzuziehen und schließlich zogen sich beide an.

Biba war traurig, als sie wieder den Steg hinuntergingen. Cosimo nahm ihre Hand. „Biba, wir gehen zurück in mein Zimmer und reden. Okay?"

Sie nickte, wusste aber in ihrem Herzen, dass er ihr sagen wollte, dass sie nicht weitermachen konnten. Sie wollte weinen. Sie wollte ihn so sehr, aber es war nur ihr verdrehtes Gehirn, das die Kufen darauf legte.

Das und die Tatsache, dass dieser Mann unmöglich ein

verkorkstes Kind ohne Erfahrung und eine verdammt vermasselte Vergangenheit haben will. *Bitte schick mich nicht weg...*

Biba war im Begriff, ihn aufzuhalten und ihn anzuflehen, sie nicht zu verlassen, aber dann durchbohrte ein Schrei die Nacht und Schüsse ertönte. Cosimo und Biba sahen sich entsetzt an und zögerten nur einen Moment, bevor sie beide losrannten und auf das Geräusch des Schusses zusteuerten.

7

KAPITEL SIEBEN

Stella hyperventilierte, während Gunter versuchte, sie zu trösten. „Jemand versuchte, mich zu entführen", jammerte sie, als sie Cosimo und Biba ankommen sah.

„Wir hörten Schüsse", sagte Cosimo und sah Gunter an, der nickte.

„Es war Rich. Er ist losgezogen, um den Kerl zu verfolgen."

Stella, schnüffelnd und offensichtlich wirklich verängstigt, verließ Gunters Arme und ging zu Cosimo. Cosimo hatte keine andere Wahl, als seine Arme um die verzweifelte Frau zu legen. „Es ist alles in Ordnung. Es geht dir gut."

Rich kehrte zurück, schwitzend, seine Augen hektisch. „Der Typ ist entkommen, es tut mir leid. Stella, alles in Ordnung?"

Stella, glücklich in Cosimos Armen, nickte. „Es war nur beängstigend. Wie ist er reingekommen?"

„Nun, leider ist es hier ziemlich offen und das Studio wird nicht für zusätzlichen Schutz bezahlen", keuchte Rich atemlos. „Es ist schwierig, mit uns allein zu arbeiten." Er sah Cosimo an. „Tut mir leid, Boss."

„Nicht deine Schuld. Hör zu, stell noch ein paar mehr Leute ein.

Ich werde dafür bezahlen. Stella, fühlst du dich in deinem Zimmer sicher?“

Sie schüttelte den Kopf. „Vielleicht sollte ich näher an dein Zimmer heran, Cosimo.“

Biba fühlte, wie ein Blitz der Eifersucht durch sie hindurchlief, besonders als Cosimo nickte. „Wir besorgen dir eine Suite im großen Haus. Biba kann bei dir bleiben, dann können wir euch beide beschützen.“

Stella sah nicht begeistert aus und Biba stimmte ihr zu. Die gemeinsame Nutzung einer Suite würde bedeuten, dass sich keiner von beiden den geheimen Zuweisungen hingeben könnte... tat Cosimo das absichtlich?

Biba folgte ihnen, als sie zum Herrenhaus hinaufgingen. Sie fühlte sich traurig und schuldig. Traurig, weil sie es spektakulär mit Cosimo vermasselt hatte und schuldig, weil Stella offensichtlich in Gefahr war. Was zum Teufel war hier los?

Rich holte sie ein. „Alles in Ordnung, Boo?“ Sie nickte, fühlte sich aber noch schuldiger. Sie hatte zu einem Date mit Rich ja gesagt und nicht einmal eine Stunde später war sie nackt mit ihrem Chef. Gott, sie war ein Chaos, nicht wahr? Vielleicht hatte Cosimo Recht. Vielleicht hatte der Vorfall mit Damon eine viel ernstere Auswirkung auf sie, als sie zugeben wollte.

SIE BEKAM die Antwort auf eine der Fragen etwas später, als sie und Stella allein waren. Sie zogen sich fürs Bett um: Stella lief völlig nackt herum, Biba hangelte sich wie immer diskret in ihre Shorts und ihr T-Shirt. Sie fühlte, wie Stella sie beobachtete.

„Waren du und Cosimo vorhin zusammen?“ Stella rauchte eine Zigarette und blies den Rauch aus dem Fenster. „Ihr schient zur gleichen Zeit an meinem Wohnwagen anzukommen.“

Ah. Also hatte Stella sie beobachtet. „Ich war zur gleichen Zeit unten am See, das ist alles“, sagte Biba beiläufig. „Wir haben gerade Hallo gesagt, als wir die Schüsse hörten.“ Sie war erstaunt, wie leicht die Lüge von ihren Lippen glitt, aber sie wollte heute Abend wirklich nicht mit Stellas Eifersucht umgehen.

„Hmm." Stella fischte nach Antworten, Biba konnte es erkennen. „Ich wusste nicht, dass ihr beide euch unterhaltet."

„Er war höflich."

Stella schien damit zufrieden zu sein, aber eine Stunde später, als Stella sanft neben ihr schnarchte, konnte Biba nicht anders, als die weichen Küsse, den Geschmack seiner Haut, die Art und Weise, wie sein intensiver Blick ihren Magen vor Verlangen flattern ließ, zu erleben. Damit kam jedoch ein Gefühl der Gewissheit, des Elends, in dem Wissen, dass anhand dessen, wie Cosimo reagierte, es keine Wiederholung der Intimität dieses Abends geben würde.

Es ist richtig, dass er sich zurückzieht, dachte sie, aber die Idee, jetzt von ihm distanziert zu sein, ließ ihre Brust schmerzen.

Sie fiel schließlich in einen unruhigen Schlaf, der nur wenige Stunden später von Stella unterbrochen wurde, als sie ihr die Nachricht zeigte, die ihr geschickt worden war.

Meine liebe Stella,

Wisse, dass heute Abend erst der Anfang war. Wir werden bald zusammen sein, meine Liebe und du wirst dir nie wieder Sorgen um etwas machen müssen. Wenn jemand versucht, unsere Liebe zu stoppen, wisse, dass ich alles tun werde, um sie aufzuhalten. Egal wer. Dein Regisseur, die Sicherheitsteams, deien hübsche Assistentin... ihre ganzen Leben werden vorbei sein, wenn sie versuchen, mich aufzuhalten.

Bald, mein Liebling.

Bald.

Cosimo hatte das FBI angerufen und sie hatten sofort reagiert. „Der Typ ist ein Spinner", sagte Luke Harris, der FBI-Agent, mit einem Nicken zu ihnen, als sie sich alle im Speisesaal des Herrenhauses versammelten. „Zu deinem Glück, sind Spinner unser Spezialgebiet."

Biba versteckte ein Grinsen über die Worte des Agenten und

schoss einen Blick auf Reggie. Sie wusste, dass er dasselbe dachte - dieser Typ war ein prahlender Idiot. Dennoch ging es hier nicht um ihre Meinung, sondern um Stellas Sicherheit. Biba registrierte nicht einmal, dass auch sie bedroht worden war, bis Cosimo das Wort ergriff. „Agent Harris, ich brauche Zusicherungen, dass Stella, Biba und der Rest unserer Mitarbeiter in Sicherheit sind."

„Wir werden tun, was wir können, aber ich muss sagen, in Bezug auf Mr. Furlough und Mr. Wolff ist Ihre Sicherheit hier sehr locker. Dass dieser Typ einbrechen und später zurückkehren konnte, um eine Nachricht zu hinterlassen..."

„Vielleicht hat er die Nachricht hinterlassen, bevor er versuchte, Stella zu nehmen", meldete Biba sich und wollte Cosimo verteidigen. „Das würde mehr Sinn ergeben."

Harris sah verärgert aus. „Ich glaube nicht..."

„Es würde mehr Sinn ergeben. Schließlich drohte er damit, Stella zu nehmen und versuchte dann, genau das zu tun. Vielleicht hat Stella die Nachricht vorher nicht bekommen, weil sie beim Empfang des Herrenhauses war?" Cosimos Stimme war weich, aber Biba erkannte Wut in seinem Tonfall. Sie war dankbar für die Unterstützung.

Harris räusperte sich, zwei rosa Flecken erschienen hoch auf seinen Wangen. „Wir werden es überprüfen. Aber was ich über die Sicherheitsstände gesagt habe. Sie müssen sie aufpeppen."

„Schon in Bewegung",Cosimo warf einen Blick auf Rich, der nickte.

„Wir haben zehn weitere Sicherheitskräfte und das Herrenhaus hat angeboten, für Außenstehende ganz zu schließen."

„Das ist ein Anfang." Harris blickte zurück zu Biba und Stella. „Seid wachsam, kleine Damen. Geht nirgendwo allein hin."

Biba's Augen verengten sich und Stella sah wütend aus. „Welch guter Rat, Agent Harris. Unsere Steuergelder sind gut angelegt."

Der Sarkasmus ging über seinen Kopf und er ging kurz darauf weg. *„Du hast nach Wundern gefragt, Theo. Ich gebe dir das F.B.I.*", zog Reggie seinen besten Alan Rickman/Stirb langsam Eindruck ein.

Es brach die Spannung - sogar Cosimo grinste. „Hey, hört zu... Es tut mir leid, Leute. Ich hatte in meiner Zeit mit vielen Verrückten zu tun, aber ich verspreche, ich werde alles tun, was ich kann, um euch zu beschützen." Er seufzte und rieb sich die Augen. Er sah müde und unentschieden aus und Biba wollte mehr als alles andere ihn halten, ihn küssen und ihm sagen, dass alles in Ordnung sein würde.

Für den Rest des Tages hielt er jedoch Abstand. Sie waren sich alle einig, dass Arbeit für sie alle das Beste wäre, um sich zu dekomprimieren und sich von der Unannehmlichkeit von Stellas Stalker abzulenken. Stella melkte es natürlich für alles, was es wert war, aber als sie spielte, musste Biba ihr anrechnen, dass es ihr eine gewisse Verletzlichkeit verlieh, was sie sympathischer machte.

So divaartig und zickig Stella auch sein mochte, das Einzige, was Biba an ihr liebte, waren ihre Auftritte. Es gab einen Grund, warum Stella Reckless der größte Filmstar der Welt war: schierer Magnetismus und Ausstrahlung. Sie leuchtete vor der Kamera. Stella liebte das Schauspiel noch mehr, als sie sich selbst liebte und das zeigte sich. Wenn sie nicht um ihrer selbst willen Ärger machte, konnte sie brennende, hypnotisierende Leistungen abliefern, die ihresgleichen suchten. Heute war ein Tag wie dieser und Biba beobachtete, wie Franco, ihr Co-Star in den heutigen Szenen, sich der Herausforderung stellte. Trotz des enormen Altersunterschiedes waren sie zusammen magnetisch, die Romantik zwischen ihnen absolut glaubwürdig.

Am Nachmittag kam Damons Ersatz, Sifrido, am Set an und hatte einen unmittelbaren Einfluss auf die Besetzung und Crew. Freundlich, kokett, locker, haben sich Sifrido und Franco sofort verstanden und Biba konnte erkennen, dass sie Spaß daran haben würden, Stella zu necken. Stella schien es ihrerseits nicht zu stören - sie liebte die zusätzliche Aufmerksamkeit.

Sifrido hatte auch Auswirkungen auf Cosimo. Biba konnte erkennen, dass sie alte Freunde waren, mit ihrem einfachen Witz und der Art und Weise, wie Cosimos Spannungsniveau nachzulassen schien. Sie war froh... obwohl er immer noch nicht ihren Blick traf.

Lass es gut sein. Gib ihm Zeit. Aber es tat trotzdem weh. Biba lenkte sich mit Arbeit und Gesprächen mit Rich und Gunter ab. Rich war leiser als sonst und später, als sie ihn fragte, ob er okay sei, zog er sie zur Seite. „Beebs... Ich kann das nicht ungesagt lassen, aber ich habe dich gesehen. Dich und Cos, unten am See."

Ihr Gesicht flammte, Biba stöhnte. „Gott, Rich, es tut mir so leid. Das war... es war nicht geplant, ich schwöre. Und am Ende ist nichts passiert. Es war ein Moment des... Wahnsinns. Es tut mir leid."

„Du schuldest mir keine Entschuldigung", sagte Rich lächelnd, „oder sonst etwas. Ich kann nachvollziehen. Wir alle hatten diesen Moment. Ich wollte das einfach nicht wissen und dich dabei nicht wissen lassen. Es ist okay, wirklich."

Biba sah ihn an. „Ich mag dich, Rich, sehr. Diese Sache mit Cosimo... Ich konnte mich nicht zurückhalten und vielleicht sagt mir das etwas."

„Ich habe dich verstanden. Zum Teufel, hör zu, solange wir Freunde sind..."

„Immer, Rich. Immer."

Rich grinste sie und stieß sich an die Schulter. „Und wenn du ihn magst, solltest du es tun. Weil er ein guter Kerl ist."

„Ich glaube nicht, dass es eine Wiederholung dessen geben wird, was zwischen uns passiert ist, aber danke."

Biba war wieder in Stellas Anhänger, noch bevor Stella die Arbeit für den Tag beendet hatte und als ihre Chefin zurückkam, warf sie Biba einen seltsamen Blick zu. Biba blickte von ihrem Laptop auf. „Oh, tut mir leid, sollte ich dir etwas bringen?"

„Nein, es ist in Ordnung. Es sieht dir gar nicht ähnlich, dass du dich hier drin versteckst."

„Ich verstecke mich nicht, sondern überprüfe nur die E-Mails."

„Trotzdem." Stella setzte sich ihr gegenüber und klopfte eine Zigarette aus ihrer Schachtel. „Cosimo fragte, wo du hingegangen bist."

Biba verbarg den Nervenkitzel, der durch sie hindurchging. „Oh?"

„Er sagte, er wolle mit dir über die Sicherheit sprechen."

„Okay. Ich sollte ihn suchen gehen." Sie stand auf und versuchte, nicht direkt aus dem Anhänger zu rennen und ihn zu finden. Sie ging die Post durch und gab sie Stella. „Keine Schurken, aber auch nicht sehr interessant."

Stella warf den Stapel auf den Tisch. „Ich komme gleich zur Sache. Also, du und Cosimo scheint euch zu verstehen."

„Nur wie Kollegen." Biba hasste es zu lügen, aber es musste sein. „Ich gehe besser und suche ihn; er will vielleicht über dein Sicherheitspersonal sprechen."

„Okay." Aber Stellas Stimme hatte einen eisigen Ton - sie glaubte nicht an Bibas Ausreden einer einfachen Freundschaft mit Cosimo. Biba zuckte mit den Achseln und verließ den Wohnwagen.

IM HERRENHAUS FRAGTE sie den Rezeptionisten, wo Cosimo sei. „Ich glaube, Mr. DeLuca ist in seiner Suite", sagte der junge Mann mit einem Lächeln. „Willst du, dass ich anrufe?"

„Ja, bitte."

Biba wartete geduldig, als er Cosimo anrief. Eine Sekunde später lächelte er sie an. „Er sagt, du sollst nach oben gehen."

Mit klopfendem Herzen nahm sie die Treppe in den zweiten Stock und brauchte die Bewegung, um etwas nervöse Energie abzubauen. Sie klopfte leicht an Cosimos Tür und zuckte leicht zusammen, als er sie fast sofort öffnete.

Für einen langen Moment starrten sie sich an, dann lächelte er. „Hey."

„Selber hey."

„Komm rein."

Er trat zurück, um sie hereinzulassen und als sie vorbeikam, roch sie Seife und Shampoo, sah, dass seine dunklen Locken feucht waren, sein Pullover frisch angezogen. Ihre Sinne taumelten und sie wackelte.

„Hey, geht es dir gut?" Cosimo erwischte sie, bevor sie fiel. Biba, gedemütigt, nickte. „Sorry, ich habe heute vergessen zu essen."

Er rollte mit den Augen und grinste sie an. „Nun, ich weiß bereits, dass das nicht üblich für dich ist."

Gott, warum tat sein Lächeln in ihrem Magen weh? Cosimo rief an und bestellte Zimmerservice für sie beide. „Kleine improvisierte Dinnerparty."

Biba kicherte. „Kann es wirklich eine Party sein, mit nur zwei Personen?"

Cosimo überlegte. „Okay, ein Picknick in der Suite."

„Schön."

Cosimo lachte. „Sind Burger für dich in Ordnung? Ich habe alle Beilagen bestellt."

„Perfekt. Ich habe heute einfach vergessen zu essen."

Cosimo setzte sich neben sie und sie lehnte sich an ihn. Er legte seinen Arm um sie. „Biba..."

„Ich weiß, was du sagen wirst. Ich bin zu jung, ich bin noch Jungfrau, ich bin von meiner Vergangenheit gekennzeichnet, du kannst es nicht mit jemandem mit so viel Gepäck aufnehmen."

Cosimo schenkte ihr ein trauriges Lächeln. „Die ersten drei sind wahr. Die letzte, nicht so sehr. Außer... Ich kann dich nicht ausnutzen. Ich würde mir nie verzeihen können, wenn ich dir noch mehr Schmerzen bereiten würde."

Biba nickte, Elend sickerte durch jede Zelle in ihrem Körper. „Ich weiß. Es ist das Verantwortungsbewusste, was man tun sollte."

Er drückte seine Lippen an ihre Schläfe. „Es ist nicht so, dass ich dich nicht will, Biba, denn, Gott weiß, ich will es. Aber ich habe eine Verantwortung gegenüber dir, dem Film und natürlich meinem Sohn."

Biba sah zu ihm auf - er war so verdammt schön, dass sie weinen konnte. „Ich weiß. Nicco steht an erster Stelle. Und hey, auf der anderen Seite, wenn wir das beenden, bevor es beginnt, haben wir eine gute Chance, Freunde zu sein."

Sie sah, wie er sich sichtlich entspannte. „Das denke ich auch. Es gibt nichts, was ich mehr möchte... nun, es gibt eine Sache, aber das ist keine Option."

„Noch nicht...", sagte Biba, ihre Stimme war fast ein Flüstern und wollte, dass er zustimmt. Er traf stetig ihren Blick.

"Noch nicht."

Ihre Augen schlossen sich und dann waren seine Lippen auf ihre. „Verdammt“, sagte er, als sie nach Luft schnappten.

Biba kicherte. „Schau, lass es uns machen. Wenn der Zimmerservice kommt, ist das die heilige Linie der Abgrenzung. Das ist, wenn wir von dem, was auch immer das ist, zu nur Freunden übergehen. Bis dahin...“

Er stöhnte und nahm ihr Gesicht in seine Hände, seine Lippen hungerten nach ihren. „Ich hoffe, sie vergessen unsere Bestellung.“

„Ich auch.“

Aber der Zimmerservice kam schnell und effizient und Cosimo und Biba brachen unwillend auseinander. Als sie sich mit ihren Burgern hinsetzten, lächelte Biba ihn an. „Eigentlich, wenn du erst einmal siehst, wie viel Fast Food ich esse, wirst du sowieso von mir abgeschreckt.“

Cosimo lachte. „Ja?“

Biba nahm einen großen Bissen von ihrem Burger, machte ein knurrendes Geräusch und kaute laut. Cosimo lachte und folgte dem Beispiel, bis sie beide hilflos lachten. Biba erstickte fast an ihrem Burger. „Ich hab’s dir gesagt.“

Cosimo griff nach ihr und wischte einen Senfabstrich von ihrer Unterlippe und ließ sie prickeln. „Du hast nicht übertrieben.“

„Also, als Halb-Italiener/Halb-Amerikaner bist du ein großer Fan von Pizza und so?“

„Eigentlich bin ich nur Italiener. Ich bin in Venedig geboren.“

Biba's Augenbrauen schossen nach oben. „Wirklich? Nun, kein Vertrauen auf diese Suchmaschinen.“

„Ha. Du hast mich gegoogelt?“

Biba rollte mit den Augen. „Natürlich habe ich dich gegoogelt, Alter. Ich bin ein Millenial.“

Cosimo stöhnte wieder. „Gott, ich fühle mich alt.“ Biba grinste.

„Also, Mr. Italian, wie ist das Essen da drüben?“

„Großartig. Warst du nicht schon mal da? Ich dachte, ich hätte gehört, dass dein Vater für eine Weile in Europa stationiert war.“

„Deutschland. Und er war nicht gerade begeistert vom Reisen.

Oder davon, ein Vater zu sein.“ Sie wusste nicht, warum sie das ausgeplappert hatte, aber Cosimo nickte.

„Nach dem, was du mir gestern Abend gesagt hast, würde ich das nicht erwarten. Gott... man glaubt seinem Kind.“ Er spuckte die Worte aus und Biba war gerührt, dass er in ihrem Namen so wütend war.

„Könnte man meinen. Es dauerte eine Weile, bis ich herausfand, dass es kein normales Familienverhalten war, so zu sein und dass es nicht meine Schuld war. Er hat mich enttäuscht. Meine Mutter hat mich enttäuscht. Und ich habe jedes Recht, darüber wütend zu sein.“

„Wenn ich zurückgehen und den Kerl töten könnte, der dir das angetan hat, würde ich nicht zögern.“ Seine grünen Augen sahen jetzt fast gefährlich aus und ein Schauer ging über Biba's Wirbelsäule. Sie glaubte es.

„Danke.“ Sie wollte jetzt das Thema wechseln. „Du musst dich darauf freuen, Nicco nächstes Wochenende zu sehen?“

Cosimo nickte, dann seufzte er. „Ja und nein. Ich habe das Gefühl, dass es 24 Stunden lang monosyllabische Gespräche und schwere Teenager-Seufzer von sich geben wird.“

„Er ist sechzehn.“

„Ja. Schau, das könnte einen großen Gefallen bedeuten, aber...“

„Würde ich gerne“, sagte sie, seine Frage zuvorkommend. „Ich kann mir ein paar coole Sachen ausdenken, die ihm gefallen könnten... Ich könnte auch Reggie mitbringen. Er scheint immer zu wissen, wo man in der Stadt sein sollte.“

Cosimo sah erleichtert aus. „Ich wäre dir sehr dankbar. Ich kann ihn im Moment einfach nicht erreichen.“

Biba nickte und für ein paar Minuten aßen sie in geselliger Stille. „Kann ich für einen Moment persönlich sein?“

Cosimo nickte. „Natürlich.“

„Hör auf zu denken, dass du alt bist. Du trägst diesen weltmüden Blick mit dir herum - aber schau dich an. Du bist erst vierzig und du siehst fünfzehn Jahre jünger aus, wenn du lächelst. Ich weiß, dass es das Schlimmste, das Furchtbarste war, deine Frau zu verlieren. Aber sie würde wollen, dass du glücklich bist, Cos.“

Biba errötete Scharlachrot nach ihrer kleinen Rede. Wer war sie, dass sie diesem Erwachsenen einen Vortrag hielt? Aber er lächelte sie an. „Du bist gut in dieser Freund-Sache."

„Ich versuche es."

Cosimo griff nach vorne und verschränkte seine Finger mit ihren. Biba konnte die Spannung zwischen ihnen kaum ertragen und zog langsam ihre Hand zurück. „Ich kann nicht."

„Ich weiß, es tut mir leid."

Sie beendeten ihr Essen und Biba stand auf. „Ich sollte Stella besser sagen, dass wir nur gesprochen haben."

„Wir haben nur geredet."

„Stimmt." Sie lächelte ihn an, als er sie zur Tür führte. „Danke fürs Abendessen."

Er öffnete ihr die Tür, aber dann schloss er sie wieder, bevor sie gehen konnte und schloss seine Augen. „Biba..."

Sie drückte ihre Lippen an seine. „Ich weiß."

Sie küssten sich wieder langsam und hielten sich dann für einen langen Moment fest. „Tschüss, Kumpel", sagte sie leise und versuchte, ihn zum Lächeln zu bringen, aber er schüttelte den Kopf.

„Wenn du nur wüsstest, was ich denke."

Sie berührte sein Gesicht. „Ich weiß es wirklich. Gute Nacht, Cosimo."

„Gute Nacht, Biba."

ERST ALS SIE WUSSTE, dass sie wirklich allein war, fing Biba an zu weinen.

8

KAPITEL ACHT

„Nicco wird morgen früh hier sein", sagte Cosimo ihr eine Woche später. „Er kommt mit dem Bus runter. Ich sagte, ich schicke ein Auto für ihn."

„Er zeigt nur seine Unabhängigkeit. Lass ihn."

„Ja, du weise."

Biba kicherte und stieß ihn sanft in die Rippen, als sie in der Reihe zum Essen anstanden. Cosimo war nicht einer dieser Regisseure, die als erster bedient werden wollten. Wenn sie zu Abend aßen, setzten sie sich mit Rich und Gunter zusammen. Gunter war mitten in einer seiner Schimpftiraden.

„Aber warum gibt es die überhaupt? Das sind nur Dämonen, die als flauschige Bienen getarnt sind, aber ohne diesen Flaum. Das sind Teufel."

Rich sah verwirrt aus. Biba grinste ihn an. „Wovon redet er?"

„Wespen. Verdammte Wespen."

„Dämonen."

„Das sind nur Wespen, Alter.""

Gunter meckerte vor sich hin und Cosimo grinste. „Du hast eine seltsame Beziehung zur Insektenwelt, Gunter."

„Ich weiß nur nicht, wie die ein Leben führen können."

Biba schöpfte sich einen Löffel Müsli in den Mund. „Cosimos Sohn kommt morgen nach Tacoma."

„Cool. Was wollt ihr machen?"

Cosimo lächelte. „Biba ist für die Aktivitäten des Tages verantwortlich. Ich nenne es gerne die ‚Wie-man-einen-Teenager-bei-Laune-hält'-Challenge."

„Ich hab's im Griff, Cos", sagte Biba und staunte, wie leicht sie vor allen anderen ‚nur Freunde' sein konnten. Als sie in der vergangenen Woche allein waren, hatten sie gekämpft, ihre neue Regel nicht zu brechen. Mehr als ein paar Küsse waren durch ihre ‚heilige Linie der Demarkation' geschlichen. „Nicco wird so beeindruckt sein; er wird allen seinen Freunden erzählen, was für einen coolen Vater er hat."

Cosimo schnaubte. „Wenn die Hölle zufriert."

„Cosimo?" Stella erschien und starrte Biba mit einem sehr frostigen Blick an. Biba kaute auf ihrem Müsli und ignorierte sie. „Kann ich dich für eine Sekunde ausleihen?"

„Sicher."

Cosimo folgte Stella von der Gruppe weg. Stella wandte sich ihm zu. „Was machst du mit Biba?"

„Entschuldige bitte?"

„Die nächtlichen Gespräche, das Abhängen. Sie ist 21 Jahre alt und leicht zu beeindrucken. Ich befürchte, dass sie in dich verknallt ist."

Gott, das hoffe ich doch. „Sei nicht albern, Stella. Sie ist meine Angestellte. Ich stelle sicher, dass es ihr nach dem Angriff gut geht und dass die Haftung des Studios nicht in Gefahr gerät. Biba könnte uns wegen dem, was passiert ist, verklagen."

Stella schnaubte. „Das würde sie nicht tun. Ich kenne sie. Sie wird es schnell genug vergessen."

„Wie gut kennst du Biba eigentlich?" Cosimo war neugierig.

„Gut genug. Lass sie in Ruhe, Cosimo. Such jemanden in deinem Alter."

Cosimos Sinn für Humor versagte ihm dann. „Stella, zum einen geht dich meine Freundschaft mit Biba nichts an. Zweitens, belehr mich nicht über Angemessenheiten, nachdem du Damon Tracy zu diesem Set gebracht hast."

Er stolzierte auf das Anwesen zu und fühlte sich jetzt mehr schuldig als wütend. Die Wahrheit war... er verliebte sich in Biba und er tat nicht viel, um sich selbst zu stoppen. Er meinte, was er zu Stella sagte - es ging sie nichts an und zumindest hatte ihr Verdacht ihre übertriebenen Verführungsroutinen gestoppt. Sie hatte die Nachricht erhalten; er war nicht an ihr interessiert. Cosimo hoffte, dass sie ihre Enttäuschung nicht an Biba auslassen würde, aber er wusste, dass das eine sehr reale Möglichkeit war.

Er ging in seine Suite und zog sich aus, ging ins Badezimmer und drehte die Dusche auf. Er musste über diese Sache mit Biba hinwegkommen. Zu ihrem Teil – abgesehen von dem ein oder anderem Kuss - hatte sie sich entschlossen an ihre Vereinbarung gehalten und er war dankbar, dass sie ihre Freundschaft dadurch nicht beeinträchtigt hatte.

Morgen würde sie seinen Sohn treffen, einen Jungen, dem sie im Alter und in der Erfahrung so nahe war, dass Cosimo sich fragte, ob es einen Unterschied in seinen Gefühlen für sie machen würde. Er glaubte es nicht.

Er konnte nicht aufhören, an sie zu denken, an ihre weichen Lippen, an diese großen braunen Augen, an diese Karamellhaut. Als sie zusammen nackt waren, war es so aufregend, sie nur zu halten. Gott, er wollte mit ihr schlafen.

Vielleicht in ein paar Jahren, vielleicht... aber er wusste, dass er in Schwierigkeiten war. Biba war ihm auf eine Art und Weise unter die Haut gegangen, wie niemand es je hatte - nicht einmal Grace.

Er ging seine Notizen für die Dreharbeiten der nächsten Woche durch, als es an der Tür klopfte. Er öffnete sie, um seinen alten Freund Sifrido zu finden, der ihn anstarrte. „Tut mir leid, dass ich keine gewisse süße Kleine bin?"

Cosimo lachte. Sifrido kannte ihn gut. „Ist es so offensichtlich?"

„Nur für diejenigen, die dich gut kennen. Darf ich reinkommen?"

„Natürlich. Der Minikühlschrank ist voll, wenn du ein Bier willst."

„Gern."

Cosimo holte zwei Bier aus dem Kühlschrank und gab eines Sifrido. „Also, du musst mir über dein Leben erzählen. Wie lange ist es her, zwei Jahre?"

„Fünf und wechsle nicht das Thema. Was ist zwischen dir und der schönen Biba?"

Cosimo seufzte, seine Schultern fielen. „Ich werde wie ein Widerling klingen."

„Das ist nicht möglich, Kumpel."

Cosimo grinste. „Du klingst von Tag zu Tag amerikanischer."

„Du lenkst ab." Cosimo hatte vergessen, dass Sifrido ein sachlicher Typ war.

Cosimo zuckte mit den Schultern. „Ich bin verrückt nach ihr. Sie ist wie ein Hauch von kühler, sauberer Luft. Sie ist lustig, klug und lässt sich nichts gefallen."

„Und sie ist wunderschön."

„Das ist beiläufig."

Sifrido hob die Augenbrauen, sprach Cosimo aber nicht auf seine Aussage an. „Geht es ihr gut, nachdem, was Damon ihr angetan hat?"

Cosimo zögerte. „Ich kann das nicht mit Sicherheit beantworten. Frido, was ich dir gleich sagen werde, darf diesen Raum nicht verlassen."

„Du hast mein Wort."

„Wir hätten uns neulich Abend fast geliebt. Draußen auf dem Steg am See."

Sifrido sah beeindruckt aus. „Fast?"

„Sie hat es gestoppt und natürlich war es für mich in Ordnung. Sie sagte mir, sie sei... im Konflikt. Etwas ist mit ihr passiert, als sie noch ein Kind war."

„Sie ist noch Jungfrau?"

Cosimo nickte und fühlte sich Biba gegenüber illoyal, aber er musste die Dinge mit jemandem besprechen. „Der Missbrauch hat nicht zur Vergewaltigung geführt, nicht dass er dadurch weniger schrecklich ist. Also... ich kann nichts mit ihr tun. Das wäre nicht fair."

„Für dich oder sie?" Sifrido nahm einen Schluck von seinem Bier. „Denkst du nicht, dass ein Ende auf eine Beziehung setzen, die ihr beide wolltet, würde sie noch schlechter fühlen lassen? Meine Schwester wurde mit 24 vergewaltigt. Du kennst Clara. Sie ließ sich nicht davon abhalten, sich zu verlieben. Sie kannte den Unterschied zwischen Vergewaltigung und Sex. Das eine ist Gewalt. Der andere kommt von einem Ort der Liebe. Du willst Biba helfen? Liebe sie. Vertraue dir selbst. Vertraue ihr, dass sie lernt - wenn sie nicht schon den Unterschied kennt. Sie wirkt wie ein kluges Mädchen."

Cosimo fühlte, wie sein Herz ein wenig leichter wurde. Er lehnte sich nach vorne. „Da ist auch die Tatsache, dass ich ihr Boss bin."

„Und? Wie lange wirst du hier filmen?"

„Noch sechs Wochen."

„Das ist nichts. Wenn du sie willst, aber Angst vor Klagen hast, warte sechs Wochen. Seht, wie ihr beide euch dann fühlt. Du verdienst Liebe, mein alter Freund."

„Alt ist richtig."

„Blödsinn. Du bist noch jung."

ALS SIFRIDO gute Nacht gesagt hatte, ging Cosimo ins Bett, lag allerdings wach und dachte an Biba. Er schloss die Augen und stellte sich vor, wie er seine Hand langsam über ihren Körper laufen ließ, die vollen Brüste schröpfte und die sanfte Kurve ihres Bauches streichelte. Er stellte sich vor, wie er ihre Klit in seinen Mund nahm, sie neckte und an der kleinen Knospe leckte, bis sie keuchte und so nass für ihn war, dass das Einführen seines großen Schwanzes in sie für beide leicht sein würde – schmerzfrei für sie und völlig berauschend für beide.

Cosimo stöhnte und rollte aus dem Bett, auf dem Weg zum Badezimmer, wo er langsam masturbierte, an sie dachte, bis er zitterte, stöhnte und sein Orgasmus ihn völlig überwältigte. „Biba", flüsterte er und lehnte seine heiße Stirn gegen die kühle Fliese. Ja, er war in großen Schwierigkeiten.

Als er ins Bett ging, träumte er von ihr, aber es waren keine angenehmen Träume von Liebe, sondern Alpträume von jemandem, der sie verfolgte, sie verletzte, sie ihm wegnahm.

Um vier Uhr morgens wachte Cosimo auf, zitternd und durchgeschwitzt. Er stand auf, goss sich einen Scotch ein und leerte ihn in einem Zug.

Er konnte sich nicht dazu bringen, in dieser Nacht wieder einzuschlafen und wollte keine schrecklichen Visionen mehr von der Frau sehen, in die er sich verliebte, wie sie ausblutete und in seinen Armen starb.

9

KAPITEL NEUN

Die Alpträume wurden am nächsten Morgen durch Bibas fröhliches Lächeln am Essenswagen verweht. „Hey, du. Heute ist der Tag?“

Für einen Moment war Cosimo verwirrt. „Hmm?“

Biba tat so, als würde sie ihm auf den Kopf schlagen. „Dein Sohn, erinnerst du dich?“

Gott, Nicco, natürlich. Er grinste sie an. „Ich bin froh, dass du heute so fröhlich bist, denn ich garantiere, dass Nicco es nicht sein wird.“

„Hätte er die Idee so sehr gehasst, wäre er nicht gekommen.“

„Es ist noch Zeit für ihn, um abzusagen.“

Biba grinste über sein mitleidiges Gesicht. „Ist das so? Also ist dieser hübsche kleine Junge da drüben nicht dein Sohn?“

Cosimo drehte sich überrascht um, als er sah, wie Nicco, größer denn je, auf ihn zusteuerte. Er trat vor, um seinen Sohn zu umarmen, was Nicco zu Cosimos Überraschung akzeptierte. Er trat zurück und blickte seinen Sohn an.

Nicco hatte schon immer mehr wie Grace als Cosimo ausgesehen: Er hatte Grace' koreanisches Aussehen, glattes tiefschwarzes Haar, das zu Stacheln hochgegelt war und dunkelbraune, fast schwarze

Augen. Nur sein Körperbau und seine Größe schienen von Cosimo zu stammen.

Cosimo trat zurück und stellte seinen Sohn Biba vor, die ihre Faust für einen Stoß ausstreckte. Niccos Augen leuchteten auf, als er sie sah und Cosimo versteckte ein Lächeln. Wie der Vater, so der Sohn - völlig unfähig, dem Charme von Biba May zu widerstehen.

COSIMO FUHR NICCO, Biba und Reggie in die Stadt und zu Bobs Java Jive Kaffeehaus am South Tacoma Way. Biba setzte sich vorne zu ihm; Nicco öffnete ihr ritterlich die Tür. Anscheinend war das aber der Umfang seines Engagements. Biba und Reggie versuchten beide, ein Gespräch mit dem Teenager zu beginnen und obwohl er höflich war, brach er bald alle Gespräche ab, die sie angefangen hatten.

Cosimo schoss Biba einen Blick zu, als sie es wieder versuchte und sie zwinkerte ihm zu. Sie wollte Nicco nicht aufgeben und es erwärmte Cosimos Herz.

Im Kaffeehaus, das wie eine riesige Kaffeekanne geformt war, stieg Biba aus. „Oh-oh...mein Fehler. Ich glaube, dass es erst später geöffnet wird. Hey, Entschuldigung, Sir?“

Cosimo beobachtete ihren Gang zu einem Mann, der die Außenfenster des Cafés putzte und sich für ein paar Minuten mit ihm unterhielt. Nachdem sie ihre Magie wieder eingesetzt hatte, kam sie zu ihnen zurück. „Er sagt, er kann um diese Zeit nur Filterkaffee anbieten, aber er lässt uns als Gefallen rein.“

Als Reggie und Nicco aus dem Auto stiegen, nahm Cosimo ihren Arm. „Du bist unglaublich“, murmelte er und sie strahlte ihn an.

„Ich habe schamlos deinen Namen benutzt. Es hat funktioniert.“

Cosimo lachte und ließ ihren Arm nur ungern los. Er wollte ihre Hand halten, aber es wäre unangebracht, besonders vor Nicco.

Als sie im Kaffeehaus saßen und plauderten, schien Nicco ein wenig aufzutauen - ein sehr kleines wenig - aber er sah immer noch gelangweilt aus. Biba stieß ihn mit ihrem Ellenbogen an. „Komm schon, Alter. Dieser Ort ist fantastisch.“

Nicco nickte widerstrebend. „Er ist schon in Ordnung.“

„Mann, du bist harte Arbeit, weißt du das?“ Biba grinste ihn an, um das Urteil aufzuweichen. „Du bist so ein Teenager.“

Das erwischte ihn. „Alter, du bist etwa fünf Sekunden älter als ich.“

„Versuchs mit fünf Jahren. Weißt du, was mit mir passiert ist, als ich sechzehn war? Ich habe die Kunst des Gesprächs gelernt.“ Sie verdrehte ihre Augen in seine Richtung und verzog das Gesicht und Nicco kicherte.

Der Klang des Lachens seines Sohnes ließ Cosimos Herz schmerzen. Er hatte dieses Geräusch seit Jahren nicht mehr gehört. „Also“, sagte er vorsichtig und wollte die Stimmung nicht unterbrechen, „was haben unsere Reiseleiter als Nächstes geplant?“

„Nun,“ sagte Biba, „wir nahmen an, dass du und deine Freunde so ziemlich alles in Seattle gemacht habt, also haben Reg und ich einige Orte gesucht, an die wir gehen können. Fall City, für den Anfang. Baumhäuser, ey.“

Nicco nickte. „Großmutter hat mich letztes Jahr dorthin gebracht.“

Biba's Gesicht fiel. „Wirklich? Verdammt, ich habe mich darauf gefreut.“

Cosimo grinste ihr schmollendes Gesicht an. „Ich bin sicher, Nicco hätte nichts dagegen, noch einmal zu gehen.“

„Nein, es ist okay. Ich kann ein anderes Mal gehen. Ähm... Reg?“ Biba sah ihren Freund hilflos an. Sie hatte ihr Herz eindeutig auf das Baumhaus gerichtet. Cosimo sagte sich selbst, dass er sie eines Tages dorthin bringen würde.

„Es ist eine Fahrt, aber wir könnten zum Observatorium in Goldendale gehen.“

Nicco zuckte mit den Schultern.

„Weltraum, nicht dein Nerd-Ding? Okay.“ Reggie blätterte durch sein Handy. „Wir könnten ein Wasserflugzeug bis Friday Harbor nehmen?“

„Schon gemacht.“

Cosimo warf einen warnenden Blick auf seinen Sohn, der ihn ignorierte.

„Schau, es ist okay“, sagte Nicco. „Wir können einfach in einem Einkaufszentrum oder so rumhängen.“

„Spannend“, sagte Cosimo trocken und Nicco errötete. Er rutschte aus seinem Stuhl.

„Ich muss pinkeln gehen.“

Cosimo seufzte und sah Biba und Reggie entschuldigend an. „Es tut mir leid, Leute. Ich habe euch gesagt, dass er schwer zu unterhalten ist.“

„Ich habe einen Backup-Plan“, sagte Biba und beide Männer sahen sie an. Sie grinste. „Vertraust du mir?“ Sie adressierte dies an Cosimo, der nickte.

„Mit meinem Leben. Warum?“

Sie kicherte vor sich hin. „Weil ich im Begriff bin, deinem sechzehnjährigen Sohn etwas zu sagen, das schockierend erscheinen mag... aber vertrau mir einfach. Ich glaube, es könnte das Eis brechen.“

Cosimo sah Reggie an, die nickte. „Okay. Der Boden gehört dir.“

Doch als Biba bei seiner Rückkehr zu Nicco sagte: „Richtig, Nic, wir gehen irgendwo hin, wo Blowjobs gefeiert werden“, erstickte Cosimo an seinem Kaffee und Reggie legte seinen Kopf in die Hände.

Aber Nicco wurde aufmerksam. „Wirklich?“

„Wirklich.“

BIBA FUHR sie diesmal zur Dock Street und sie stiegen alle aus dem Auto. Nicco sah sich um. „Ich raff's nicht.“

Biba zog ihn mit. „Komm schon.“ Sie folgten ihr über eine Brücke zu einem kegelförmigen Gebäude auf der anderen Seite. Cosimo nahm an, dass sie dorthin unterwegs waren, aber dann, auf halbem Weg, hielt Biba an.

„Ta-dah! Nicco DeLuca, ich präsentiere dir: ein Fest der Blowjobs.“ Sie zeigte auf die Wand vor ihnen und Nicco begann zu lachen.

„Oh, sehr clever.“

Es war eine Wand mit einzelnen Vitrinen von spektakulär geblasenen Glasskulpturen. Cosimo war erleichtert und dankbar, dass Nicco jetzt lachte. Er sah, wie sich sein Sohn entspannte.

„Du bist Verrückt, weißt du das?“, sagte Nicco jetzt zu Biba. Sie legte ihren Arm um seine Schultern.

„Das wird dich lehren, bei uns Teenager zu sein. Komm schon, du kannst auch unter einigen dieser Schätzchen laufen.“

Alle vier schlenderten über die Brücke unter der Glasdecke. Cosimo und Reggie sahen zu, wie Biba und Nicco miteinander herumalberten.

„Sie ist erstaunlich“, sagte Cosimo und versuchte, das meiste seiner Anbetung aus seiner Stimme zu halten. Reggie nickte.

„Das ist sie. Hört zu, ich weiß, dass ihr zwei Freunde geworden seid. Vielleicht könntest du mir bei etwas helfen.“

„Sicher.“

„In einer Woche hat Biba Geburtstag. Ich habe keine Ahnung, was ich dafür tun soll, außer einer Party, aber das scheint lahm zu sein. Außerdem ist Biba nicht wild auf Parties. Vielleicht könnten wir etwas im Herrenhaus tun, draußen auf dem See. Vielleicht ein Feuerwerk?“

Cosimo nickte. „Klingt perfekt. Ich werde was organisieren.“ Dann erkannte er, dass er mit Biba's bestem Freund sprach und vielleicht überschritt er, Cosimo, die Grenze. „Ich meine, wenn du willst, dass ich es tue, Reg. Biba ist deine Person.“

Reggie grinste. „Es ist okay, ich weiß, was du meinst und ich brauche deine Hilfe. Deshalb habe ich gefragt. Denkst du, Stella wäre damit einverstanden?“

„Es ist mir wirklich egal, ob sie es nicht ist“, sagte Cosimo, „es ist Biba's Geburtstag. Ich meine“, sagte er und schüttelte ungläubig den Kopf, als er Nicco und Biba beim Spielkampf sah, „schau, was sie für mich tut.“

SPÄTER, als Reggie und Nicco versuchten, selbst Glas zu blasen, nahm Cosimo Biba zur Seite. „Ich kann dir nicht genug für heute danken. Blowjobs?“

Biba kicherte und strahlte ihn an. „Und ich hatte ein Backup zu meinem Backup-Plan... das Afterglow Vista im Friday Harbor, die Mima Mounds in Olympia."

Cosimo lachte. „Stopp."

„Das Schrott-Schloss in..." Biba wurde abgeschnitten, als Cosimo sie küsste und jedes bisschen Verlangen in ihr entfachte. Ihre Finger rutschten in sein Haar, als er sie in seine Arme nahm. Glücklicherweise waren sie hinter einem Glasstapel, fernab von den anderen.

Biba war diejenige, die sich zurückzog. „Es tut mir leid."

„Ich habe den Kuss begonnen. Entschuldige dich nicht." Er lehnte seine Stirn an ihre. „Gott, Biba, ich weiß, was ich gesagt habe, aber ich will dich so sehr."

„Ich dich auch", flüsterte sie. Sie zögerte, dann schob sie ihre Hand bis zu seiner Leiste herunter. Cosimos Schwanz reagierte sofort, versteifte sich und pochte gegen seine Jeans, als sie den Hügel streichelte. „Cosimo... Ich will, dass du es bist. Ich will so sehr, dass du es bist..."

Er küsste sie wieder und spürte, wie sie in seinen Armen zitterte. „Wir können das hinkriegen, nicht wahr? Uns?"

„Es nicht zu versuchen, bringt mich um", gab sie zu, ihre Stimme leise und rau. „Jedes Mal, wenn ich in deiner Nähe bin, will ich dich nur berühren und deine Hände an meinem Körper haben... und dich in mir. Ich habe Angst, ja, aber ich will dich so sehr."

Sie küssten sich wieder, dann hörten sie Stimmen näher kommen. Sie brachen auseinander, teilten aber einen langen Blick. Beide entspannten sich und wussten jetzt, dass sie zusammen sein würden - das war unvermeidlich.

Nicco hatte sich jetzt wirklich entspannt und als sie in der Southern Kitchen in der Sixth Avenue essen gingen, sprach er sogar über die Schule und was er für seine Zukunft geplant hatte.

„College", sagte Cosimo fest und Nicco grinste.

„Keine Sorge, Pa. Es steht auf meiner Liste."

„Welches Fach?", Biba füllte ihren Mund mit Brathähnchen und Soße.

Nicco lächelte. „Bathymetrie."

„Ah," sagte Biba, „Magst du das Meer?"

Nicco sah überrascht aus. „Du weißt, was Bathymetrie ist?"

Biba grinste. „Nur weil ich einmal in Weiterklicken-Fahrt auf Wikipedia war. Ich bin besessen von Vulkanen."

Cosimo sah überrascht aus und Reggie kicherte. „Ja, das macht sie. Seltsame Dinge. Sie ist auch ein Weltraum-Nerd."

„Wahre Geschichte. Also, du willst für wen arbeiten?" Sie richtete die Frage an Nicco zurück.

„NOAA. Und ich will Unterwasservulkane studieren." Er lachte, verwirrt, um einen verwandten Geist bei den Freunden seines Vaters zu finden. Er drehte seinem Vater einen bewundernden Blick zu und Cosimo wusste, dass er mit Biba in seinem Team wichtige Punkte gewonnen hatte. Ein Grund mehr, ihr dankbar zu sein.

„Warst du auf dem Mount Rainier?" Biba hatte ihre Pommes frites fertig und stahl nun welche von Niccos Teller.

Nicco schüttelte den Kopf. „Ich bin nie dazu gekommen."

„Warum gehst du mit deinem Vater nicht morgen dort hin? Bevor du zurück nach Seattle gehst?"

Clevere Biba. Er drückte ihr Bein unter dem Tisch und nickte Nicco zu. „Willst du?"

„Ja, das klingt cool."

Cosimo wusste nicht, ob er lachen oder weinen sollte. Sein Sohn dachte, mit ihm rumzuhängen wäre cool? Er fühlte, wie sich seine Kehle vor Emotionen schloss. Biba blickte ihn an und spürte, wie sein Körper neben ihr angespannt war. Sie schob ihre Hand unter den Tisch, umwickelte ihre Finger mit seinen und drückte sie zusammen.

In diesem Moment verliebte sich Cosimo DeLuca in Biba May.

10

KAPITEL ZEHN

Biba war auf dem Rückweg zum Lakewood Manor im Auto eingeschlafen und als sie ankamen, fühlte Cosimo sich, als könne er ihr nicht anbieten, ihr wieder auf's Zimmer zu helfen. Er hatte Nicco zu berücksichtigen und außerdem war sie mehr als in der Lage, ihren eigenen Weg in ihr Zimmer zu finden. Sie umarmte Nicco fest. „Ich wünsche dir einen schönen Tag morgen mit deinem Vater, okay?"

„Werden wir haben... und danke für heute."

Sie umarmte Cosimo etwas fester. „Genieße den morgigen Tag. Es sind Fortschritte gemacht worden", flüsterte sie ihm ins Ohr und weil er das war, welches von den anderen weggerichtet war, küsste sie schnell seinen Hals. „Gute Nacht, Leute. Komm schon, Reginald, du siehst noch fertiger aus als ich."

Sie zog Reggie in Richtung Flur weg und Cosimo ließ Nicco in die Suite. „Du kannst das Bett nehmen. Ich nehm das Sofa."

Nicco zögerte. „Dad, hast du... in diesem Bett?"

„Habe ich was?" Cosimo brauchte eine Minute, um zu verstehen, wovon sein Sohn sprach. „Alter, *nein*. Alles sicher."

„Nun, ich weiß nicht, was bei einem Filmset so vor sich geht. Ich höre Zeugs." Nicco kicherte über das Augenrollen seines Vaters.

„Wenn du wüsstest, wie ereignislos das Leben an einem Filmset wirklich ist." Cosimo schnappte sich ein Kissen aus dem Bett und eine Decke aus dem Schrank.

„Vielleicht könnte ich eines Tages runterkommen, abhängen und sehen, was passiert?"

Cosimo blieb stehen, erkannte aber dann, dass er aus dem, was Nicco gesagt hatte, keine große Sache machen sollte. „Jederzeit, Kumpel, das weißt du."

„Cool. Nacht, Dad."

ALS NICCO ins Bett gegangen war, zog sich Cosimo bis auf seine Unterwäsche aus und schaltete das Licht aus. Er sah sein Telefon mit einer Nachricht blinken. Er legte sich auf das ausziehbare Sofa, nahm sein Telefon und scrollte zur Nachricht. Biba.

Fortschritt, Fortschritt, Fortschritt! Ich glaube, wir haben die Teenagergrenze durchbrochen! B xx

Cosimo gluckste leise. *Alles dank dir, meine liebe Biba. Ich kann dir nicht genug danken. C xx*

Es gab nur wenige Augenblicke, bis sie antwortete und als er es las, begann sein Herz schneller zu schlagen.

Zeig es mir. Morgen Abend. Zeig es mir.

Und das war alles, was sie zu sagen hatte.

11

KAPITEL ELF

Biba wackelte unter dem Esstisch so sehr mit ihren Beinen, dass Reggie tatsächlich ihre Knie nach unten hielt. „Warum bist du so überdreht?"

Biba fühlte, wie ihr Gesicht errötete. *Weil ich heute Abend zum ersten Mal Sex mit dem Mann meiner Träume haben werde.* „Nichts, nur überschüssige Energie. Schöner Tag gestern, was?"

„Sehr. Nicco ist ein guter Junge. Man sieht kein bisschen Cosimo in ihm, oder?"

Biba dachte darüber nach. „Habe ich nicht bemerkt. Er ist lustig, wenn man das Eis bricht. Das ist wie bei Cosimo."

Reggie studierte sie, seine braunen Augen suchten ihr Gesicht. „Du magst ihn."

„Wen, Nicco?"

„Nein, Cosimo. Denkst du, ich habe die Chemie zwischen euch nicht bemerkt?"

Biba sagte nichts, aber sie konnte spüren, wie ihr Gesicht brannte. Reggie stieß sie an und senkte seine Stimme. „Mach schon, Beebs. Er steht offensichtlich auf dich."

Wenn er wüsste was später heute Abend... Gott, sie musste mit jemandem darüber reden. „Komm mit mir."

Sie gingen zum See hinunter und setzten sich an den gleichen Steg, an dem Biba und Cosimo fast Liebe gemacht hatten. Sie erzählte Reggie von dieser Nacht. Er grinste breit. „Ich wusste, dass etwas mit dir nicht stimmt. Aber du hast es nicht durchgezogen?"

Sie schüttelte den Kopf. „Nein, mein großes, dummes Gehirn hat es aufgehalten. Und als ich Cosimo sagte, warum, wich er irgendwie zurück. Nicht, dass er nicht nett war."

„Nun, das ist bewundernswert. Er hat genau das Richtige getan."

„Außer..."

„Außer was?"

Biba errötete wieder – wenn das so weiter ginge, wäre sie den ganzen Tag scharlachrot. „Heute Abend..."

Reggie sah überrascht aus. „Bist du bereit?"

Biba nickte. „Ich bin natürlich nervös, aber ich glaube wirklich, dass ich das schaffen kann, weil ich es so sehr tun will. Und ich vertraue Cosimo, Reggie. Du weißt, was für eine große Sache das für mich ist."

„Das tue ich, Süße." Reggie umarmte sie. „Ich freue mich wirklich für dich, Beebs. Das ist einer dieser Momente."

„Das ist er."

Sie blickten für ein paar Minuten in geselliger Stille über den See hinaus, dann kitzelte Reggie ihren Nacken. „Beebs? Hast du deine Eltern gesehen, seit wir in Tacoma sind?"

Sie schüttelte den Kopf. „Nein."

„Die Basis ist weniger als eine Meile entfernt."

„Ich weiß." Sie drehte sich um, um ihn anzusehen. „Ich habe kein Gefühl für sie, Reg. Keine Liebe, kein Hass, nur nichts. Sie verloren das Recht, mich Tochter zu nennen, als sie mir nicht glaubten." Biba schaute wieder weg. „Der Scheißkerl, der mich missbraucht hat, wurde später verhaftet, weil er dasselbe mit drei weiteren Kindern gemacht hat. Wusstest du das?"

Reggie schüttelte den Kopf, seine Augen ernst. „Das wusste ich nicht."

„Meine Eltern haben nie angerufen, um sich zu entschuldigen.

Nicht einmal. Sie hatten von der Verhaftung gewusst. Also, Reg, das sagt mir alles, was ich wissen muss. Ende des Themas."

„In Ordnung." Reggie küsste ihre Wange. „Ich hab dich lieb, Mäuschen."

„Ich hab dich auch lieb." Sie holte einen wackeligen Atemzug ein. „Gott, warum bin ich so nervös?"

„Weil Cosimo dir etwas bedeutet", sagte Reggie leidenschaftlich. „Das ist gut. Das ist perfekt. Keine Sorge, immer mit der Ruhe." Er grinste sie an. „Hast du Kondome?"

Biba sah beunruhigt aus. „Gott, nein..."

„Entspann dich, Boo. Das ist ein Filmset. Make-up hat eine volle Schublade."

Biba hat Grimassen geschnitten. „Ich wünschte, ich würde das nicht wissen."

Reggie stand auf und zog sie auf die Beine. „Komm schon. Wie wir Stella kennen, sucht sie nach dir. Ich hole ein paar Kondome für dich. Ich wünsche dir einen schönen Abend."

STELLA WAR SEHR SCHLECHT GELAUNT, obwohl sie an diesem Tag nicht gearbeitet hat. „Schau dir all diese Post an", stöhnte sie und warf einen Stapel auf den Tisch. „Ich dachte, du wolltest den Überblick behalten."

„Ich tue mein Bestes, Stel."

„Du hättest das gestern ausdünnen können."

Biba knirschte mit den Zähnen. „Ich arbeite samstags nicht, das weißt du."

Stella, die sich eine Zigarette angezündet hatte, zupfte ein wenig Tabak von ihrer Zunge. „Vielleicht sollte ich einen Assistenten holen, der keine freien Tage braucht."

„Viel Glück dabei. Warum bist du im Zickenmodus?" Als ob Biba es nicht wüsste. Stella hatte sie offensichtlich vom Ausflug mit Cosimo und Nicco zurückkommen sehen.

Stella beantwortete ihre Frage nicht. Sie nickte der Post zu. „Dann mach schon, ich habe nicht den ganzen Tag Zeit."

Eigentlich schon. Aber Biba sagte nichts, sondern sortierte die Post schnell in drei Haufen: Fans, Arbeit, Müll. Stella nahm den Schrott auf und warf ihn in den Mülleimer. Biba holte es mit einem Blick zurück und legte es in den Papierkorb. Mini-Kämpfe waren das, worauf ihre Beziehung beruhte.

Stella begann, durch den Arbeitsstapel zu schauen. „Mist. Mist. Mist. Ha! Die Firma *Weinstein* - nein danke." Sie warf ihn mit Wucht in den Müll.

Biba nickte. Das war etwas, worüber sie sich einigen *konnten*. Sie schaute durch die Fanpost und beseitigte alles, was eine Antwort oder ein unterschriebenes Autogramm brauchte. Der letzte Umschlag, den sie wählte, war ein schwerer Manila Umschlag. Als sie den Inhalt ausschüttelte, sah sie, dass es nur Fotos waren, keine Notiz. Sie hob ein paar auf und bemerkte, dass sie mit etwas klebrig waren. *Ekelhaft. Bitte kein Sperma, bitte kein Sperma...* aber dann bemerkte sie, dass es eine rote Farbe und einen süßen Geruch hatte. Maissirup. Das Zeug, das sie für Blut bei Dreharbeiten benutzt haben. *Bäh.*

Sie schaute durch die Fotos, Unruhe stieg in ihr auf. Meistens waren es Bilder von Stella am Set oder beim Zurückgehen zum Herrenhaus. Offensichtlich mit einem Telefon aufgenommen. Dann gab es noch die fünf anderen Fotos. Cosimo, Rich, Reggie, Gunter und sie selbst. Das waren die mit dem falschen Blut. Sie wurden bedroht.

„Was ist das?" Stella griff danach, aber Biba drückte ihre Hand weg.

„Nicht anfassen. Wir müssen das zum FBI bringen."

Sie blickte auf und sah die Angst in Stellas Augen. „Ist er es?"

„Ich glaube schon. Also, je weniger wir sie anfassen, desto besser."

„Sollen wir Cosimo anrufen?"

Biba schüttelte den Kopf. „Ich werde mit Rich und Gunter reden - sie werden wissen, was zu tun ist. Cosimo ist heute mit seinem Sohn auf dem Mount Rainier wandern."

Stella lehnte sich zurück, ihre Hände ballten und öffneten sich. „Droht er mir?“

„Nicht dir. Ich denke, wer auch immer er ist, er denkt, dass er in dich verliebt ist. Diese Nachricht ist wirklich für den Rest von uns - sind wir im Weg werden wir...“ Sie zog ein imaginäres Messer über ihre Kehle und Stella erblasste.

„Das ist wirklich ernst, oder? Wenn er droht, meine Freunde zu töten...“

Biba zeigte nicht, wie gerührt sie von dieser Aussage war - vor allem, weil sie nicht sicher war, ob Stella es ernst meinte. „Es wird nichts passieren, Stel, ich verspreche es. Ich kann Kung-Fu.“

„Wirklich?“

„Nein“, grinste Biba ihren Chef an und versuchte, sie zum Lachen zu bringen. „Aber ich bin rauflustig.“ Sie stand auf, um eine Plastiktüte zu finden, in die sie den Umschlag stecken konnte.

Stella lächelte nicht. „Wenn jemand wegen mir verletzt wird...“

Biba setzte sich ihrer Chefin gegenüber. „Zuerst einmal, für den unwahrscheinlichen Fall, dass einer von uns verletzt wird, wäre es wegen *ihm*, dem Verrückten - nicht wegen dir. Das ist nicht deine Verantwortung.“

„Ja, aber du *bist* es.“

Jetzt musste Biba wegschauen, weil ihr Tränen in die Augen stiegen. Ihre verdammten Eltern hatten das nie zu ihr gesagt und jetzt hat es ihre Diva-Chefin Stella gesagt? Wie abgefuckt war das denn? „Mach dir keine Sorgen, Stella, wirklich. Wir gehen der Sache auf den Grund.“

Sie ging los, um Rich und Gunter zu finden und sie riefen Lars und Channing, Cosimos Stellvertreter, an und sie stimmten mit Biba überein. Niemand sonst sollte den Brief berühren und sie würden das FBI anrufen, um ihn am nächsten Tag abzuholen. Rich und Gunter machten Pläne, um die Sicherheit zu erhöhen. „Du sagst Reggie besser, dass er auch aufpassen soll“, sagte Rich zu Biba, als sie zu den Wohnwagen zurückkehrten. „Wenn er auf der Liste des Verrückten ist...“

„Das werde ich.“

Biba suchte ihren besten Freund und traf ihn in der Lobby des Herrenhauses. „Hier“, sagte er und stopfte ihre Taschen mit Kondomen voll. Biba errötete sofort.

„Danke. Hör zu, Reg, komm und setz dich zu mir. Ich muss dir etwas sagen.“

12

KAPITEL ZWÖLF

Nicco stand an der Kreuzung des Weges. „In welche Richtung?“

Cosimo, nur wenig hinter seinem Sohn, nickte dem Emmons Moraine Trail zu. „Wenn wir da lang gehen, sehen wir den Emmons Gletscher. Der größte in den angrenzenden Staaten.“

„Cool.“

Cosimo machten diese Ein-Wort-Kommentare jetzt nichts aus. Er hatte bei ihren Wanderungen am White River in der letzten Stunde oder so gelernt, dass Nicco mit seinen Worten einfach sparsam umging. Als Cosimo ihn jedoch nach etwas fragte, das ihm wichtig war, war sein Sohn gelehrt, sachkundig und leidenschaftlich.

Während sie jetzt gingen, sah er seinen Sohn an. „Also, ich schätze, Filmemachen und Bathymetrie haben nicht viele Überschneidungen, worüber wir uns unterhalten können.“

Nicco zuckte mit den Schultern. „Ich weiß nicht... Dokumentarfilme sind cool.“

„Wer ist dein Favorit?“

"Werner Herzog oder die Maysles. Hast du jemals den *Grizzly Man* gesehen?“

Cosimo nickte. „Der hat mich nachts wachgehalten.“

„Ja, oder? Der Teil, wo er der Mutter sagt, dass sie nie zulassen soll, dass jemand anderes Timothy Treadwells Schreie hört? Heilige Scheiße." Nicco schüttelte den Kopf. „Aber ich liebte Treadwell irgendwie für seinen Optimismus. Seine Liebe zu den Bären überwiegt sein Risikobewusstsein. Natürlich nach hinten losgegangen, aber es war da."

„Nic... bist du wirklich erst sechzehn?" Cosimo schüttelte den Kopf, grinste und Nicco lachte.

„Ich schätze, ich bin einfach leidenschaftlich darüber, was ich liebe... wie mein alter Herr."

Cosimo lächelte ihn an. „Vielleicht könnten wir eines Tages zusammen einen Dokumentarfilm drehen."

Nicco nickte. „Das würde mir gefallen."

Sie gingen ein wenig weiter, bis sie den Gletscher erreichten. „Woah", sagte Nicco und blies die Wangen auf.

„Das ist schon etwas, allerdings." Cosimo blickte auf die Aussicht hinaus und die beiden Männer genossen die Aussicht schweigend für ein paar Minuten.

„Willst du zurückkehren und den Rest des Großen Beckens machen?"

„Sicher doch."

Sie gingen den Ausläufer hinunter und auf den Hauptweg. „So", sagte Nicco und Cosimo entdeckte eine Note der Neugierde in seinem Ton. „Biba..."

„Ja?"

Nicco grinste seinen Vater an. „Du magst sie."

„Du nicht?"

„Alter, hast du sie gesehen? Natürlich mochte ich sie, aber nicht auf diese Weise. Sie ist so cool. Ich meine, du *magst* magst sie."

Cosimo wusste nicht, wohin das führen sollte, also antwortete er nicht. Nicco spielte mit der Schulter. „Dad, ernsthaft... du solltest es versuchen. Ich konnte sehen, dass ihr beide ineinander verliebt seid. Reggie denkt das auch."

„Ist das so offensichtlich?"

„Jawohl." Nicco beugte sich nach unten, um eine Pflanze am

Rande des Weges zu studieren. „Hmm. Wie auch immer, ja. Du und Biba."

Cosimo überlegte. „Weißt du, dass es einen Altersunterschied von neunzehn Jahren gibt?"

„Und? Wen interessiert das schon? Du warst, was, sieben Jahre älter als Mama? Es sind nur Zahlen. Was zählt, ist die Chemie."

„Oh Gott, du *bist* im Inneren ein alter Mann."

Nicco grinste. „Bei einigen Dingen. Ich liebe immer noch Furzwitze."

„Wer tut das nicht?"

„Ja, oder? Anscheinend ist das für manche Leute *unreif*."

„Spielverderber." Cosimo kicherte. „Nic... können wir über... deine Mutter reden?"

Nicco blieb stehen, ein Ausdruck von Schmerzen kreuzte sein Gesicht. „Es ist nicht so, dass ich vergessen will, dass sie jemals existiert hat, Dad... es ist nur so, dass ich nicht bereit bin, über sie zu reden. Ich fühle mich, als hätte ich sie im Stich gelassen."

„Ich kann dir sagen, dass du es nicht getan hast, bis ich blau im Gesicht bin, sondern bis du es glaubst..." Cosimo nickte. „Weiß einfach, wann immer du bereit bist, bin ich hier."

AUF DER RÜCKFAHRT war Nicco leiser, aber als Cosimo ihn am Busbahnhof absetzte, umarmte ihn Nicco heftig. „Danke, Dad. Ich meine es ernst."

„Kein Problem. Ich hab dich lieb, Kumpel."

„Ich dich auch, Dad. Ich rufe dich in ein paar Tagen an."

„Cool", sagte Cosimo und grinste seinen Sohn an. Nicco lachte und rollte die Augen.

„Geh und hol dir was, Pa", schoss er zurück, als er die Stufen des Busses hinaufstieg und Cosimo lachte.

Als er zusah, wie Niccos Bus wegfuhr, fühlte sich Cosimo plötzlich nervös. Er und Biba hatten nicht geplant, was sie heute Abend tun würden, wo sie sich treffen würden, was sie... *Gott*, sein ganzer

Körper stand in Flammen, wenn er darüber nachdachte, mit ihr Liebe zu machen.

Cosimo fuhr langsam zurück nach Lakewood und versuchte, seine Nerven zu beruhigen. Biba würde brauchen, dass er heute Abend selbstbewusst ist - das Gewicht der Verantwortung belastete ihn, aber er war entschlossen, dass sie diese Reise gemeinsam antreten. Er war verrückt nach ihr... verdammt, scheiß drauf, er war in sie verliebt, praktisch seit er sie getroffen hat. Die verrückte Chemie zwischen ihnen machte dies unvermeidlich.

Er parkte sein Auto und war tief in Gedanken, als er langsam zum Herrenhaus ging. In seinem Zimmer sah er eine Notiz, die unter seine Tür geschoben wurde. Er lächelte, als er das einzelne Wort sah, das darauf in Bibas ausladender Kursive geschrieben stand.

Heute Abend.

Gott, ja. Er duschte schnell, nahm dann sein Telefon heraus und rief sie an. „Hey."

„Hey du." Ihre Stimme war leise. „Bist du wieder da?"

„Das bin ich. Wo bist du?"

„Arbeite an einem Reckless-Ausraster. Zum Glück nichts Ernstes. Hattet ihr zusammen mit Nicco eine tolle Zeit?"

Cosimo grinste. „Liebling, warum reden wir am Telefon, wenn wir doch persönlich reden könnten? Hast du schon gegessen?"

„Noch nicht."

„Nun, ich habe einen Vorschlag. Date-Night. Lass uns essen gehen, einen Film anschauen. Ein richtiges Date. Wenn es dir so geht wie mir, bist du verdammt nervös."

Biba lachte erleichtert. „Allerdings, ja." Sie zögerte. „Soll ich in deine Suite kommen?"

„Ich könnte kommen und dich holen."

Sie lachte. „Ich glaube, ich kenne den Weg. Wann...?"

„Ich sehe keinen Grund, es länger hinauszuzögern, du etwa?" Seine Stimme war vor Emotionen gepresst und er hörte, wie sie Atem holte.

„Nein. Nein, das tue ich nicht. Wir sehen uns in einer Minute."

„Ich kann es kaum erwarten."

Zum Glück, dachte er, war die Haushaltsführung da, es lagen frische Laken auf dem Bett und das Zimmer war aufgeräumt. Er zündete einige der Duftkerzen im Raum an und dämmte das Licht. Er fühlte sich wie ein Teenager in der Abschlussballnacht.

Bei ihrem Klopfen öffnete er die Tür und lächelte sie an. Biba trug ein mitternachtsblaues Smokkleid, das sich um ihre Kurven schmiegte, aber bequem genug war, um darin herumzulungern. „Du bist wunderschön", sagte er und zog sie in den Raum. Er konnte spüren, wie sie zitterte, als er seine Arme um ihre Taille legte.

Cosimo streichelte ihr Gesicht. „Wie geht es dir?"

Biba kicherte ein wenig wackelig. „Verängstigt, um ehrlich zu sein." Cosimo beugte seinen Kopf nach unten, um ihren Mund zu küssen. So süß...

„Ich auch. Wir können die Dinge langsam angehen, Baby. Sollen wir etwas zu essen bestellen und uns entspannen?"

Sie nickte und nahm seine Hand, er führte sie zur Couch und gab ihr ein Menü. Sie sah es an, aber er konnte sehen, dass sie in Panik geriet. „Hey, Biba, wir müssen nichts tun, wozu du nicht bereit bist. Wir können uns einfach entspannen und reden. Ich will nur Zeit mit dir verbringen."

Sie war an der Reihe, ihn zu küssen und den Kopf zu schütteln. „Ich will das so sehr. Ich versuche nur, ruhig zu bleiben, aber Gott, ich will dich so sehr. Meine Güte", lachte sie, „du würdest die Verwirrung in meinem Kopf im Moment nicht glauben."

„Ich liebe dich." Cosimo hatte bis dahin nicht gewusst, dass er es sagen würde und die Veränderung im Raum war sofort spürbar. „Ich bin so verliebt in dich, Biba May. Du hast mich wieder zum Leben erweckt und ich möchte jeden wachen Moment mit dir verbringen - und jeden unwachen Moment. Und wenn du nie bereit bist, Liebe zu machen, ist es okay. Ich will nur bei dir sein..."

Er konnte seine Erklärung nicht beenden, weil Biba sich in seine Arme warf, ihn küsste, ihre Wangen vor Tränen feucht waren. „Ich liebe dich auch! Gott, so, so, so sehr, Cosimo. Ich glaube, ich habe dich vom ersten Moment an geliebt, als wir uns sahen. Ich will dich so sehr, in jeder Hinsicht."

Sie drückte ihren Körper gegen seinen und er spürte ihre Brüste gegen seine harte Brust, ihr Bauch gegen seinen, ihre Beine um seine Taille wickelten, als er sie in seine Arme hob. „Berühre mich", sagte sie, „berühr mich überall und überall... Cosimo... Cosimo... Cosimo... Cosimo..."

Er trug sie ins Schlafzimmer und legte sie sanft auf das Bett. „Biba, wenn du irgendwann aufhören willst, sag einfach stop."

Als Antwort setzte sich Biba auf und zog sich ungeduldig das Kleid über den Kopf. „Ich will nicht, dass etwas aufhört", sagte sie und Cosimo lachte.

„Verstanden, Baby."

Sie griff nach seiner Hose und öffnete den Reißverschluss seiner Jeans. Er hielt sie auf. „Nein. Zunächst einmal geht es hier nur um dich. Lehn dich vor mir zurück, meine Schöne. Lass mich deinen spektakulären Körper sehen."

Biba tat, was er von ihr verlangte, streckte ihren geschmeidigen Körper, das schwache Kerzenlicht ließ ihre dunkle Haut wie Gold leuchten. Cosimo schüttelte den Kopf. „Du bist perfekt. Absolut perfekt."

Er zerrte seinen Pullover über den Kopf, ließ aber seine Jeans an, als er neben ihr auf der Seite lag. Er glättete seine Handfläche über ihren Kurven und ließ seine Hand auf ihrem Bauch liegen. „Biba... du bist berauschend." Er konnte spüren, wie ihr Bauch vor Nerven und Verlangen zitterte.

Ihre großen braunen Augen schienen noch größer zu sein. Er lächelte sie an. „Jetzt werde ich jeden Zentimeter dieses perfekten Körpers küssen, angefangen bei deinen kirschroten Lippen..." Er drückte seine gegen ihre und küsste sie gründlich, seine Zunge streichelte ihre, während seine Hand ihren Bauch streichelte. Er bewegte sich bis zu ihrem Hals, dann bis zu ihren Brüsten. Als er eine von ihrem Spitzen-BH befreite, nahm er die Brustwarze in seinen Mund, schnippte mit seiner Zunge um sie herum und saugte tief, bis er sie stöhnen hörte. Seine Hand rutschte in ihr Höschen und als sie keuchte, fing er an, sie sanft zu streicheln, seine Finger fuhren um ihre pulsierende Klit.

„Cosimo..." Ihr Flüstern war eher vor Verlangen als vor Angst und er fühlte, wie ihr Geschlecht für ihn nass wurde. Er nahm ihre andere Brustwarze in seinen Mund, spürte, wie sie steinhart wie die erste wurde, streichelte sie weiter und erhöhte den Druck, bis er ihr Keuchen hörte, wie sie aufschrie und sich anspannte. Ihre Fotze war jetzt klitschnass, aber Cosimo ließ sich Zeit, bewegte sich ihren Körper hinunter, küsste ihren Bauch, rieb ihren tiefen Nabel mit seiner Zunge, fühlte, wie sie sich unter ihm wand. Er schob seinen Zeigefinger tief in ihre Fotze und krümmte ihn, um den G-Punkt zu finden, während seine Lippen ihren Bauch hinunterzogen.

Er zog ihr Höschen sanft über ihre Beine und schob ihre Beine auseinander. Er sah zu ihr auf. Sie starrte ihn an, atemlos. „Hab keine Angst, mein Liebling."

Cosimo küsste die weiche Haut ihrer inneren Oberschenkel, langsam, verlockend, bevor er ihren Kitzler in seinen Mund nahm. Biba keuchte nach Luft, als sie sich verspannte und immer wieder kam, während er sie leckte. „Gott... ja... ja... ja... bitte nicht aufhören, niemals aufhören..."

Cosimo zog seine Lippen über ihren Körper, um ihren Mund wieder einzunehmen. „Biba..."

„Ich will dich in mir", flüsterte sie, ihr Gesicht feucht vor taufrischem Schweiß, „Bitte, Cosimo. Warte nicht."

Cosimo lächelte und zog schnell seine Jeans und Unterwäsche aus. Er lehnte sich auf seinen Hüften zurück, als er ein Kondom über seinen riesigen, pochenden Schwanz rollte. Er legte ihre Beine um seine Taille.

Er hatte sie so nass gemacht, dass es leicht war, sanft in sie einzugleiten und er war erfreut, dass sie ihn anlächelte. „Wir passen zusammen", sagte sie und staunte, wie gut sich ihre Körper als Einheit bewegten. Cosimo war froh, dass sie in ihrer Liebe verloren zu sein schien, aber nicht verängstigt oder verzweifelt - vielmehr klammerte sie sich an ihn, nur aus tierischem Verlangen.

„Ich liebe dich, ich liebe dich", sagte sie und ihr Rücken wölbte sich nach oben und sie schrie in Ekstase. Cosimo drückte sie an sich, als auch er zum Höhepunkt kam, stöhnte und ihren Namen rief.

Sie brachen zusammen, keuchend und feucht vor Schweiß, küssend. Cosimo streichelte ihr feuchtes Haar von der Stirn weg. „Geht es dir gut?"

„Mehr als gut, Cosimo, mehr als gut. Danke, *danke*..." Sie küsste ihn, ihre Lippen glühten gegen seine. Cosimo wickelte sie in seinen Armen.

„Danke, dass du mir vertraut hast, dass wir das machen." Er streichelte ihren Körper. „Wie fühlst du dich? Wirklich?"

„Mein Körper fühlt sich an wie Pudding", lachte Biba, „als wären alle meine Gliedmaßen verflüssigt... es ist ein schönes Gefühl."

Cosimo grinste. „Ich spüre es auch. Hör zu, entschuldige mich für einen Moment. Ich muss mich darum kümmern..." Er nickte zu seinem noch halb aufgerichteten Schwanz hinunter. „Sie nehmen der Liebe die ganze Romantik, diese Kondome." Er küsste sie und rutschte vom Bett, um sich um das Kondom zu kümmern.

„Nichts könnte die Romantik für mich ruinieren", hörte er sie sagen und dann lachen.

„Was?" Er ging zurück ins Schlafzimmer und sah, wie sie ihn anstarrte.

Biba kicherte. „Ich habe das gesagt und dann hat mein Magen mega geknurrt."

„Dann bestellen wir etwas Essen. Wir haben die ganze Nacht Zeit, um zu tun, was immer wir wollen."

Bei einem Abendessen mit gegrillten Steaks und einem frischen grünen Salat, gefolgt von einem frischen Obstsalat, erzählte er ihr von seinem Tag mit Nicco. „Biba, wir wären nie so weit gekommen ohne dem, was du gestern für uns getan hast. Und du solltest wissen... du hast nicht nur DeLuca Senior verzaubert. Nicco liebt dich." Cosimo lehnte sich hinüber, um sie zu küssen. „Er sagte mir, ich solle es machen."

„Er ist ein sehr intelligenter, sehr weiser junger Mann", sagte Biba mit einem Lächeln. „Ich bin froh, dass du seinen Rat befolgt hast. Also, du denkst, es ist ein Anfang, oder mehr?"

„Ich werde mich für einen Anfang entscheiden. Er ist nicht bereit zu akzeptieren, dass es nicht seine Schuld war, dass seine Mutter gestorben ist und er nicht da war. Aber es ist ein Anfang - einige Bausteine in unserer Beziehung. Ich war verzweifelt, dass ich ihn verloren hatte... bis du kamst."

Biba legte ihre Gabel ab und ging in seine Arme und setzte sich auf seinen Schoß. „Wir passen gut zusammen, Cosimo DeLuca."

Er blickte mit diesen magnetischen grünen Augen zu ihr auf und Biba fühlte, wie ihr Bauch vor Verlangen zitterte. Er war so schön... ihr *Geliebter*. Sie konnte es kaum glauben. Cosimo DeLuca war ihr Geliebter... und er liebte sie wirklich. Nicht nur Lust, sondern auch echte erwachsene, richtige *Liebe*. Sie lehnte ihre Stirn gegen seine. „Cosimo?"

„Ja, mein Liebling?"

Sie grinste. „Bring mich ins Bett und fick mich die ganze Nacht."

Und mit einem Grinsen tat er genau das.

BALD. Sie waren abgelenkt: durch die Fotos, durch ihren Regisseur, der Biba fickt. *Gut*. Es würde alle anderen davor bewahren, verletzt zu werden, als er ihnen Stella wegnahm. Und er wusste genau, wann er es tun musste. Stella würde nächste Woche um diese Zeit die Seine sein und seine ganze Planung wäre es wert gewesen.

Er konnte es kaum erwarten.

13

KAPITEL DREIZEHN

Biba trieb zurück ins Bewusstsein und spürte, wie Cosimos Lippen ihre Wirbelsäule hinaufzogen. Sie lächelte und öffnete die Augen, als er ihre Lippen erreichte. „Guten Morgen, mein Schöner. Oh, das ist nicht fair, du hast dir die Zähne geputzt."

Cosimo gluckste. „Du schmeckst himmlisch."

Biba rollte auf den Rücken und Cosimo pustete auf ihren Bauch und ließ sie kichern. „Spielkind." Sie kämmte ihre Finger durch seine wirren dunklen Locken und konnte nicht glauben, dass sie hier in seinem Bett war, eingewickelt in seine Arme. „Cos?"

„Ja, Baby." Er küsste jetzt ihre Brüste und neckte ihre Brustwarzen in harte Spitzen.

„Passiert das wirklich?"

Cosimo blickte lächelnd auf. „Das tut es wirklich. Es geschieht. Wir geschehen. Ich liebe dich, Biba May."

„So wie ich dich liebe, Cosimo DeLuca." Sie zögerte. „Sollen wir... das geheim halten?"

„Hmm." Cosimo stützte sich auf seinem Ellbogen neben ihr ab. „Ich habe mich das Gleiche gefragt. Es gibt Vor- und Nachteile für beide Seiten, aber ich denke, wir könnten einen Mittelweg pflügen.

Es nicht verkünden, aber es nicht leugnen. Ich möchte deine Hand halten, egal ob öffentlich oder privat."

„Stella wird wütend sein."

„Das ist ihr Problem. Wenn sie böse wird, denk dran, das Studio bezahlt dein Gehalt. Du wirst so oder so nicht gefeuert."

„Danke. Es ist seltsam, aber ich fühle mich deswegen nicht schuldig. Ich habe mich in dich verliebt; Stella wollte dich nur für eine Eroberung."

Cosimo machte ein Gesicht. „Ja und wenn sie ihre Hausaufgaben gemacht hätte, würde sie wissen, dass ich nicht so ticke. Ich war noch nie ein Playboy, egal was die Leute denken. Ich sage nicht, dass ich ein Heiliger war."

Biba grinste ihn an. „Ich hoffe es. Hast du dich gesehen? Was für eine Verschwendung, wenn du ein Mönch wärst."

Cosimo lachte. „Das ist sehr freundlich." Er streichelte ihre Lippen mit seinen. „Willst du Frühstück?"

„Ich will etwas Cosimo..."

Sie liebten sich wieder, genossen jedes Gefühl, das durch ihren Körper floss, dann wieder in der Dusche, rutschten und glitten in der Kabine und lachten so sehr, dass sie schließlich auf dem kühlen Fliesenboden landeten.

In der Kleidung grinste Biba bedauernswert. „Ich hätte vorausdenken und frische Unterwäsche mitbringen sollen. Ich muss wohl unten ohne zurück in mein Zimmer."

„Verdammt, Frau." Cosimo zeigte auf seinen Schwanz, der bei diesem Gedanken hart wurde und Biba kicherte.

„Dann komm hier rüber, großer Junge."

SIE SCHAFFTE es schließlich zurück in ihr Zimmer, um eine Nachricht von Stella auf ihrem Handy zu finden. „Wo zum Teufel bist du? Es ist Montag, Biba. Zeit zum Arbeiten."

Alte Zicke. Aber Stella konnte Biba's Glück nicht ruinieren und als Cosimo ihre Hand hielt, als sie die Treppe hinunter zum Frühstück in dem Esswagen Anhänger gingen, war es ihr egal, wer sie sah oder was sie dachten. Es gab einen Anflug von Schuldgefühlen, als sie sah, wie Rich ihre haltenden Hände anschaute, aber er zwinkerte und lächelte und ihr Unbehagen wurde beseitigt.

Zu ihren Gunsten beschrie niemand das offensichtliche Miteinander von Cosimo und Biba groß und als sie mit der Arbeit begannen, wechselten sie alle wieder in ihre beruflichen Rollen.

Biba ging los, um Stella zu finden. „Hey, Stel."

Sie wartete darauf, dass das Rumzicken beginnen würde, aber Stella war gedämpft. „Alles in Ordnung, Stella?"

Stella nickte, dann schüttelte sie den Kopf. „Nein, nicht wirklich."

Sie sah so echt verstört aus, dass Biba sich zu ihr setzte und ihre Hand nahm. „Was ist das?"

Stella übergab ihr das iPhone, das sie nur für private Nachrichten benutzte. „Schau."

Biba öffnete die Textnachricht.

Meine Liebe, bald werden wir zusammen sein und die ganze Welt wird einfach verschwinden. Du und ich werden in Frieden sein - ich verspreche dir, es wird nicht lange wehtun und dann werden wir für die Ewigkeit zusammen sein. Ich liebe dich. Ich will dich. Das ist unser Schicksal, unsere Zukunft. Kämpfe nicht dagegen an, bitte. Du hast keine Ahnung, zu was ich fähig bin, wenn jemand versucht, uns in die Quere zu kommen. Dein, für immer xxx

„Oh Gott." Biba war übel und Stella nickte.

„Er wird mich umbringen. Was sollte er sonst meinen?"

Biba wollte sie beruhigen, aber sie wusste, dass es nicht möglich war. Die Aussage des Stalkers war klar. Sie blickte auf und sah eine Träne aus Stellas Auge entweichen. „Ich habe Angst, Beebs."

Biba wickelte ihre Arme um ihren Chef und hielt sie fest, als sie all ihre Angst herausschluchzte. Stella war noch nie so verletzlich vor ihr, nie zuvor. Sie muss Angst haben, dachte Biba. Sie lehnte ihre Wange an Stellas blonden Kopf. „Wir werden das FBI erneut kontaktieren, Stel. Cos lässt nicht zu, dass dir etwas passiert, das schwöre ich."

Stella schnüffelte und setzte sich auf. Sie schenkte Biba ein seltsames Lächeln. „Cos, ist das so?“

Biba nickte. Sie hielt Stellas Blick fest und schließlich nickte Stella. „Oh. Ich verstehe.“

„Es tut mir leid, Stella. Es ist einfach passiert.“

Stella zuckte mit den Schultern. „Entschuldige dich nicht. Du wolltest ihn, du hast ihn. Alles war fair und so.“ Sie zog an ihrer Unterlippe, in Gedanken. „Ich hatte sowieso gedacht, dass ich vielleicht einfach... eine Pause einlegen könnte – von Männern, von Beziehungen.“

„Das solltest du. Du hast so viel mehr zu bieten, als nur Idioten zu vögeln. Du verdienst mehr.“ Biba errötete bei ihrem Ausbruch – würde es sich anhören, als wäre sie nur erleichtert, dass Stella Cosimo nicht jagen wollte?

Aber Stella nickte nur. „Du hast Recht. Schau, meine Augen sind jetzt total geschwollen.“

„Kalte Löffel und etwas Creme und sie werden in Ordnung sein. Du bist sowieso nicht bis heute Nachmittag eingeplant.“

Stella beobachtete sie. „Es tut mir leid, dass ich dich immer schlecht behandelt habe, Biba. Wie diese Nachricht heute Morgen. Ich bin gerade mega gestresst.“

Biba grinste. „Ich bin es gewohnt.“

Stella lachte ein wenig. „Früher war ich nicht so, weißt du. Früher war ich süß.“ Sie seufzte. „Aber in diesem Geschäft, mit den... Dingen, die man sieht, den Dingen, zu denen man gezwungen ist... ist es so eine Erleichterung, an diesem Filmset teilzunehmen, weißt du? Mit einem Regisseur von Cosimos Talent, seiner Freundlichkeit, seinem... Schutz zu arbeiten. Du musst das auch spüren.“

„Das tue ich.“

„Es tut mir noch immer leid wegen Damon.“

„Nicht deine Schuld, Stel. Schau, lass uns eine halbe Stunde entspannen, dich beruhigen und dann werden wir das angehen“, hielt sie das iPhone hoch, „zusammen. Wir rufen das FBI an und gehen der Sache auf den Grund."

Spezial Agent Luke Harris kam kurz nach dem Mittagessen an und er versammelte Cosimo, Lars, Channing, Rich und Gunter, Stella und Biba sowie Reg in den großen Salon des Herrenhauses. Reggie stieß Biba an. „Wird Poirot uns sagen, wer von uns ein Unrechter ist?"

Biba musste ihr Lachen als Husten verbergen.

Luke Harris nahm die Fotos auf Stellas iPhone als Beweis auf. „Wir werden diese so schnell wie möglich bearbeiten. Wir brauchen Ihre Fingerabdrücke, Ms. May und Ms. Reckless zum Vergleich."

„Kein Problem."

Cosimo bewegte sich gereizt. „Also, es gab keinen Fortschritt in diesem Fall?"

Luke Harris schüttelte den Kopf. „Wer auch immer das ist, weiß, was er tut. Ms. Reckless, wir müssen ein langes Gespräch über Ihr Privatleben führen, fürchte ich."

Stella zog eine Grimasse. „Es ist alles auf Wikipedia. Können Sie es nicht nachschlagen?"

„Ich fürchte nicht. Und, ich denke, Sie sollten wissen... Mr. Tracy hat gute Anwälte. Er hat die versuchte Vergewaltigungsanklage fallen lassen."

„Was?" Cosimo war empört, während Biba blass wurde. „Was zum Teufel? Warum wurden wir nicht vorher informiert?"

Harris schüttelte den Kopf. „Ich weiß nicht, es tut mir leid. Wo auch immer Tracy hingeflogen ist, er ist gut versteckt."

„Er könnte das sein." Cosimo warf einen besorgten Blick auf die Biba. Harris nickte.

„Glaubt mir, wir haben ihn auf unserer Verdächtigenliste. Die einzige Sache, die mich daran hindert, ihn zu unserem Hauptverdächtigen zu machen, ist, dass sein Motiv wahrscheinlich Rache und nicht Besessenheit sein würde und ich denke, er würde Ms. May und nicht Ms. Reckless ins Visier nehmen. Um sie zum Schweigen zu bringen, sozusagen."

„Oh Gott“, zischte Reggie, seine Hand auf Biba's Schulter und sogar Harris sah entschuldigend aus.

„Tut mir leid“, sagte er zu Biba, „das kam falsch rüber. Aber ich stehe zu meinem Argument. Ich glaube nicht, dass er das ist, was nicht heißen soll, dass du nicht wachsam sein solltest.“

„Dieses Set verwandelt sich schnell in ein Gefängnis“, murmelte Lars zu Cosimo. Cosimos Gesicht war angespannt.

„Hören Sie, Agent Harris, wir müssen besser kommunizieren. Rich und Gunter führen jetzt ein starkes Team, aber Sie haben diesen Ort gesehen. Die Wälder um den See herum, die Offenheit des Herrenhauses selbst... eine Armee könnte nicht jeden Zentimeter schützen. Wenn jemand reinkommt... Ich will nicht einmal darüber nachdenken, was passieren könnte.“

Jeder im Raum fühlte, wie eine Kälte über ihre Wirbelsäulen schoss und als Biba Cosimo in die Augen sah, konnte sie nur Angst sehen.

14

KAPITEL VIERZEHN

Agent Harris ging nach einer Weile, ohne echte Zusicherungen zu machen. Lars, Cosimo und Channing gingen in eine Hütte und die anderen trieben weg. Biba hatte ihren Arm um eine ruhige Stella gelegt, als sie sich auf den Weg zurück zum Set machten. „Alles in Ordnung?"

Stella schüttelte den Kopf, sagte aber nichts. Sie lehnte sich an Biba an und Biba wusste, dass sie mehr als alles andere Trost brauchte. „Komm schon, Stel. Wir holen etwas heiße Schokolade und spielen ein paar Karten."

Stella schüttelte den Kopf. „Ich bin dir dankbar, Biba, aber ich denke, ich bin lieber eine Weile allein."

Biba beobachtete, wie sie zu ihrem Wohnwagen zurückging. Reggie massierte sich den Nacken. „Und ich dachte, das wurde ein entspanntes, glückliches Set werden."

Biba lächelte nicht. Es bestand kein Zweifel daran, dass diese ganze Stalker-Sache alle in die Enge trieb. Sowohl Rich als auch Gunters Verhalten, die normalerweise so lebenslustig waren, waren jetzt ziemlich eingeschüchtert und übermannt.

. . .

Ein paar Tage später kam Reggie, um sie zu finden. „Beebs... Ich habe schlechte Nachrichten."

„Noch mehr?" Biba war müde und gestresst und machte sich Sorgen um Stella.

„Meine Mutter ist krank. Ich muss sie am Wochenende besuchen, anstatt deinen Geburtstag mit dir zu verbringen."

Biba umarmte ihn. „Das ist kein Problem, Boo, du musst bei Mary sein. Was ist mit ihr los?"

„Ein Virus, glaube ich. Sie ging in die Hütte in den Bergen, um zu malen und fing sich eine Erkältung ein, die sie nicht abschütteln konnte."

„Oh, armes Ding. Willst du, dass ich mit dir komme?"

Biba kannte Maria schon seit Jahren. Seitdem Reggie und sie Freunde geworden waren, war Mary eine Pseudomutter für sie, tröstlich und lebenslustig wie ihr Sohn. Mary hatte immer gehofft, dass Reggie und Biba zusammenkommen würden, aber irgendwie waren sie von neuen Bekannten zu besten Freunden geworden, ohne jemals die ‚könnten wir mehr sein' Phase zu durchlaufen.

Reggie lächelte sie an. „Nein, es ist okay. Aber sie könnte sich über einen Anruf freuen, wenn du Zeit hast."

Biba zog bereits ihr Handy aus der Tasche und wählte: „Mary Moo, hast du die Grippe?"

Sie stellte es auf Lautsprecher, damit Reggie auch zuhören konnte. Mary Quinn kicherte, ihre Stimme heiser und heiser. „Biba, wie schön, von dir zu hören, Liebling. Ja, das befürchte ich. Ich werde das verdammte Ding nicht los. Reggie besteht darauf, mich zu besuchen."

„Und so sollte es auch sein. Soll ich auch mitkommen?"

„Oh, nein, nein, meine Liebe. Es ist dein Geburtstag und ich will nicht riskieren, euch beide anzustecken. Außerdem hat Reggie mir erzählt, dass du einen neuen Mann in deinem Leben hast."

Biba grinste, ihr Körper entspannte sich bei der Erwähnung von Cosimo. „Du würdest ihn lieben, Moo, wirklich."

„Er ist ein hübscher Kerl. Ich habe ihn gegoogelt, als Reggie mir sagte, für wen er arbeitete... ja, ein sehr hübscher Junge. Diese Augen. Gutes Mädchen."

„Ich weiß", sagte Biba. „Bist du sicher, dass es nichts gibt, was ich für dich tun kann?"

„Nein, Liebling, Reggie war mehr als freundlich. Vielleicht können wir nächstes Jahr alle deinen Geburtstag zusammen verbringen."

„Das würde mir gefallen. Fühl dich bald besser, Muh. Ich hab dich lieb."

„Ich liebe dich auch, süßes Mädchen."

Biba beendete den Anruf und lächelte Reggie an. „Auch wenn ich es schon eine Million Mal gesagt habe, du kannst dich so glücklich schätzen, eine Mutter wie sie zu haben."

„Ich weiß." Reggie kaute auf seiner Lippe. „Ich mache mir Sorgen, dass sie in den Bergen ist. Die Cinnamon Lodge ist im Sommer in Ordnung, aber um diese Jahreszeit friert es dort oben unter der Null und wenn sie bereits krank ist..."

„Sie hat Heizung, oder? Und der Ort ist wie ein Palast." Reggie und seine Mutter waren nicht gerade arm. Reggies Vater hatte sein Vermögen mit Textilien verdient und Reggie hatte nie etwas gewollt. Biba wusste, dass er sich Sorgen machte, dass seine Mutter allein sei, aber Mary Quinn war unabhängig.

„Nun, wenn sie mich nicht besuchen lässt, schicke ich ihr wenigstens ein Care-Paket. Denkst du, du könntest es ihr für mich bringen?"

Reggie lächelte sie an. „Du bist die süßeste und natürlich."

BIBA GING an diesem Nachmittag in die Stadt, um in einen bekannten Süßwarenladen von Tacoma zu gehen. Sie verbrachte eine angenehme Stunde damit, aus den handgemachten Pralinen auszuwählen, in dem Wissen, dass Mary einen Naschkatzen war und fuhr dann zur Tacoma Mall, um andere kleine Geschenke für ihre de facto ‚Mom' zu finden.

Erst als sie ein Geschäft mit einer bequemen Wolldecke für Mary verließ, bemerkte Biba, dass sie verfolgt wurde. Es begann mit einem kranken Gefühl im Inneren, als sie fühlte, wie jemand zu nah hinter ihr her ging. Sie ging in den nächsten Laden und drehte sich um sich selbst, um zu sehen, ob sie sehen konnte, wer es war.

Niemand. War sie paranoid? Biba atmete tief ein und ging wieder hinaus ins Einkaufszentrum. Zehn Minuten später bekam sie dasselbe Gefühl, das ihre Wirbelsäule hochstachelte und drehte sich um. Sie war paranoid. Niemand schenkte ihr Beachtung.

Sie schüttelte den Kopf, ging zu einem Kaffee und sah Rich Furlough im hinteren Teil des Ladens, einen Latte auf dem Tisch vor ihm, der durch etwas auf seinem Handy blätterte. Biba zögerte einen Moment lang. Wäre Rich ihr gefolgt?

Er blickte dann auf und wenn er spielte, machte er einen guten Eindruck, überrascht zu sein. „Hey kleine, ich habe nicht erwartet, dich hier zu sehen. Kann ich dir ein Getränk holen?"

Biba, die nicht unhöflich sein wollte, nickte. „Das ist nett von dir. Heiße Schokolade, bitte."

Sie setzte sich in den Sessel gegenüber von Rich und lachte dann, als er mit einer voll beladenen heißen Schokolade für sie zurückkam. „Ich habe sie dazu gebracht, alles draufzumachen und ich erinnere mich auch daran, dass du einen Schuss Vanillesirup magst."

Biba entspannte sich. Rich war die letzte Person, vor der sie Angst haben musste. „Danke dir." Sie sah die Sahne an, die sich hoch über der Flüssigkeit stapelte. „Wie um alles in der Welt kann ich das angehen?"

„Ich schlage vor, die Nordwand abzuseilen", Rich nickte weise.

Biba kicherte. „Du bist bescheuert." Sie nahm einen Schluck, vergrub ihre Nase in der Sahne und grinste dann breit. Rich lachte und schüttelte den Kopf.

„Verdammt, May, hör auf, so bezaubernd zu sein."

Biba fühlte sich etwas unbeholfen. „Tut mir leid."

„Trottel. Süßtrottel."

Ihre Schultern entspannen sich. „Das ist kein Wort."

„Und...?"

„Und?

„Elefant im Raum. Du und Cos-happy?"

Sie nickte fest. „Sehr. Es tut mir wirklich leid..."

„Wage es nicht, dich zu entschuldigen, Beebs. Ich *freue* mich für dich, das tue ich wirklich. Du und Cos macht Sinn."

„Auch mit dem Altersabstand?"

„Fick den Altersabstand. Buchstäblich, ha ha ha." Er grinste und sie konnte nicht anders, als zu lachen.

„Was ist mit dir?"

Rich zuckte mit den Schultern. „Wie alle sagen, ich habe meinen Lebenspartner in Gunter, dem Dummkopf." Er grinste. „Wenn ich nur wie Reggie wäre."

„Huh?"

„Schwul. Dann könnten ich und Gun ein glückliches gemeinsames Leben haben."

Biba trank ihre heiße Schokolade. „Reggie ist nicht schwul, Rich."

„Wirklich?" Rich schien wirklich verblüfft zu sein und Biba schüttelte den Kopf.

„Nein."

„Verdammt. Jetzt schulde ich Gun zwanzig Dollar."

Biba lachte. „Oh, du hast also geraten?"

Reiches Grinsen. „Tut mir leid. Nur keiner von uns konnte herausfinden, warum du und Reggie nie zusammen seid."

„Es gibt einige Männer, die mir widerstehen können", sagte sie und rollte die Augen. „Die meisten Männer, eigentlich."

„Ha. Keine Chance."

Sie pustete ihre Wangen auf, verlegen wegen seines Kompliments und Rich lachte. Er war wirklich der süßeste Kerl. „Was ist mit Stella, Rich? Sie ist im Moment Single."

Rich hob beide Hände. „Woah."

„Zu viel Frau für dich?"

„Zu viel Drama für mich. Nee, ich werde einfach warten, bis sie das Klonen perfektionieren und etwas von deiner DNA leihen."

„Ach was soll's. Du weißt, dass ich wie ein Walross schnarche, oder?"

„Stopp."

„Und ich sabbere. Ständig. Ich sehe aus wie die Sumpfkreatur am Morgen."

„Ich glaube dir nicht."

Biba grinste böse „Und ich furze. Sehr oft. Frag Stella. Ich lasse ihr immer etwas Geruch da, den sie spürt."

Rich lachte so heftig, dass seine Augen tränten. „Aufhören! Aua, jetzt habe ich einen Krampf."

Biba lachte ihn aus, als er sich beruhigte. „Gott, es fühlt sich gut an, nach dem Scheiß-Treffen neulich zu lachen."

„Oder? Dieser FBI-Agent ist ein Idiot."

Biba nickte. „Diese ganze Sache macht mich paranoid. Bevor ich hierher kam, hätte ich schwören können, dass mir jemand folgt. Ich bin sogar in ein paar Läden gegangen und habe mich versichert. Ich habe niemanden gesehen, aber ich war eine Zeit lang erschrocken."

Richs Lächeln war verschwunden. „Was zum Teufel? Warum hast du nicht damit angefangen?" Er schob seinen Stuhl zurück und Biba stand in Panik.

„Was machst du da?"

Er nahm ihre Hand. „Komm schon. Ich bin mit dem Sicherheitsteam hier befreundet. Wir werden die Sicherheitskameras vom Einkaufszentrum überprüfen."

15

KAPITEL FÜNFZEHN

Cosimo wartete auf sie, als Rich sie zurück zum Set fuhr. Biba ging in seine Arme und er konnte spüren, wie sie zitterte. Rich's Gesicht war wie erstarrt. Er nickte Cosimo zu. „Jemand ist Biba gefolgt. Ein Mann, denken wir, aber er oder sie trug eine Kapuze."

Cosimo wurde übel. Alles hätte mit Biba passieren können... „Hatte er eine Waffe?"

Er hörte, wie Biba, dessen Gesicht in seinem Pullover vergraben war, ein verzweifeltes Quietschen von sich gab.

„Es ist okay, Baby, du bist in Sicherheit", sagte er, vergrub sein Gesicht in ihrem Haar, atmete sie ein.

„Wir konnten es nicht erkennen. Aber Unvoreingenommen darüber nachzudenken – und das ist nicht einfach – aber er hätte nichts zu gewinnen, wenn er Biba verletzen würde. Ich denke, es war nur dazu gedacht, Informationen zu sammeln oder uns zu erschrecken. Vielleicht beides."

Cosimo fluchte. „Okay, von jetzt an geht niemand allein raus. Ich will nicht euer Leben leiten, aber während ihr für mich arbeitet, werdet ihr alle beschützt. Geht zu zweit oder nehmt einen Wachmann mit. Das schließt dich und Gun ein, Rich. Ich glaube nicht, dass dieser Typ Spaß macht."

„Ich stimme zu." Rich legte seine Hand auf Biba's Schulter. „Beebs, ich verspreche es. Du bist in Sicherheit."

Cosimo neigte Biba's Kinn nach oben, damit sie sein Gesicht sehen konnte. Er versuchte zu lächeln. „Wie er gesagt hat."

RICH LIEß sie allein und Cosimo brachte Biba zurück in seine Suite. Er konnte es kaum erwarten, sie in seine Arme zu nehmen und sie zu küssen. „Gott steh mir bei, wenn dir jemals jemand wehtut..."

„Er ist nicht hinter mir her, Cos. Lasst uns einfach darauf konzentrieren. Und die arme Stella. Ich kann mir nicht vorstellen, wie sie sich im Moment fühlen muss."

„Ich weiß. Sie war heute wieder sehr ruhig. Ich glaube, Franco und Sifrido wollten sie zum Abendessen einladen und versuchen, dass sie sich besser fühlt."

„Gute Jungs."

Cosimo lächelte. „Das sind sie." Er schröpfte ihr Gesicht in seine Hand. „Gott sei Dank, dass es dir gut geht."

„Jetzt tut es das." Sie lehnte sich in seinen großen Körper. Er hob sie in seine Arme und setzte sich in den Sessel, wobei sie gegen ihn gelehnt war. Biba drückte ihre Lippen gegen seinen Hals. „Ich habe Angst um Stella."

„Ich weiß, Schatz." Er küsste sie. „Aber für heute Abend geht es ihr gut. Sie ist in Sicherheit. Und..." Plötzlich lächelte er: „Morgen ist dein Geburtstag."

„22."

„Alte Frau."

Biba lachte. „Bring diese alte Frau ins Bett, Junge."

Sie liebten sich langsam, Biba auf ihm, als er ihre Brüste und ihren Bauch streichelte. Sie ritt ihn, spießte sich auf seinen riesigen Schwanz und seufzte vor Ekstase, jedes Mal, wenn sie ihn in sich versenkte. „Gott, ich werde dem nie müde werden, Cosimo. Niemals."

„Ich auch nicht, Baby. Gott, ja, genau so, wenn du deine Fotze um mich herum so zusammendrückst..."

Biba's Augen tanzten und schwelgten eindeutig in der Macht, die sie in solchen Momenten über ihn hatte. „Du meinst, so?"

Sie presste ihre Vaginalmuskeln und ihre Oberschenkel zusammen und er stöhnte vor Lust. Biba grinste und fuhr mit den Händen seine Brust und seinen Bauch auf und ab. „Du bist so ein wunderschöner Mann", murmelte sie und lehnte sich hinunter, um ihn zu küssen und kniff mit den Zähnen in seine Unterlippe.

Cosimo packte ihr Gesäß in seinen Händen, Finger gruben sich in ihr weiches Fleisch. Biba sah auf ihn herab. „Du willst...?"

Er war überrascht. „Willst du Analsex ausprobieren?"

„Mit dir will ich alles versuchen."

„Zum Beispiel?"

Biba lächelte. „Du könntest mich... fesseln. Fessle mich. Sei unanständig."

Cosimo grinste. „Du überraschst mich jeden Tag, Biba May."

„Ja... Ich mag die Idee, deiner Gnade ausgeliefert zu sein. Vielleicht eine leichte Tracht Prügel?"

Cosimo, so angetörnt von ihrem Gespräch, legte sie plötzlich auf den Rücken und begann, hart zu stoßen. „Du machst mich verrückt, Miss May..."

Sie klammerte sich an ihn, als sie sich bis spät in die Nacht liebten, dann schliefen sie, eingehüllt in die Arme des anderen, bis zum Vormittag.

AM NÄCHSTEN MORGEN öffnete Biba die Augen und fing sofort an zu lachen. Neben ihr lag Cosimo, nackt und glorreich, mit einem glitzernden Papierhut und eine Partytröte im Mund. Er blies hinein und die gerollte Papierzunge rollte heraus und stupste ihr auf die Nase. Biba kicherte.

„Du Verrückter."

Cosimo nahm die Tröte aus seinem Mund und lehnte sich zu ihr, um sie zu küssen. „Alles Gute zum Geburtstag, Snooks."

„Snooks?"

„Neuer Spitzname."

Biba überlegte. „Ich will es erlauben."

Cosimo grinste. „Also, Miss May, ich habe heute Pläne für Sie - aber nur, wenn sie für Sie gut klingen."

„Hau raus."

„Frühstück im Bett, all deine Lieblingssachen. Dann ein langer, sexy Ausflug in der Wanne - natürlich mit mir. Die Crew und die Besetzung haben ein spezielles Mittagessen für dich organisiert."

„Das ist süß - und ich liebe es, wie sehr sich dieser Tag um Essen dreht."

„Und Sex. Vergiss den Sex nicht."

„Wie könnte ich nur?" Sie kicherte, als er seine Arme um sie legte und ihren Hals küsste. „Nach dem Mittagessen?"

„Nach dem Mittagessen haben wir etwas Zeit für uns allein. Wir gehen zu Gig Harbor... und wir gehen auf einen Gondolier - wenn ich dich nicht nach Venedig bringen kann, dann bringe ich dir Venedig."

Biba sah begeistert aus. „Das ist so romantisch, Babe. Gott, wie schön."

Cosimo grinste, offensichtlich zufrieden. „Danach ein romantisches Abendessen zu zweit in der Stadt, dann zurück zu einer kleinen Überraschung auf dem See."

„Du hast das wirklich organisiert", sagte Biba unglaublich berührt. Dieser Mann liebte sie wirklich.

Cosimo bedeckte ihren Körper mit seinem und grinste sie an. „Ich gebe zu, Reggie hat mir geholfen. Es tut mir leid, dass er nicht hier sein wird, um uns zu helfen zu feiern."

„Ich auch... Ich bin sicher, er wünscht sich das auch, aber seine Mutter bedeutet uns beiden viel."

„Snooks?"

„Ja?"

„Lass uns nicht über Reggies Mutter reden, wenn ich versuche, dich zu besteigen."

Biba lachte laut, dann seufzte sie glücklich, als Cosimo seinen Schwanz tief in ihr versenkte. Sie liebten sich langsam, zärtlich, bis beide nach Luft keuchten und durch intensive Orgasmen schauderten.

Cosimo meinte es ernst, als er sagte, Frühstück mit all ihren Lieblingssachen. Müsli, Rührei, Pfannkuchen, French Toast und frisches Obst. Biba hatte eine gute Portion von allem, sehr zu Cosimos Vergnügen.

„Hör zu, Mann, ich brauche die Energie", sagte Biba und kaute einen halben Pfannkuchen in einem Bissen. „Du forderst ständig Sex von mir..."

Sie kicherte, als Cosimo versuchte, sie zu kitzeln. „Iss nicht zu viel... Ich will nicht, dass du dich auf mich übergibst, wenn wir uns lieben."

„Ha ha ha..." Aber sie legte den Rest ihres Pfannkuchens hin und kletterte auf seinen Schoß. „Danke. Danke für einen schönen Geburtstag."

„Er hat noch nicht einmal angefangen", sagte er lächelnd und küsste sie mit solcher Leidenschaft, dass sie das Essen vergaßen und auf den Teppich stürzten, lachten und sich küssten, bis sie atemlos waren.

STELLA LÖSCHTE die E-Mail und lehnte sich zurück, angepisst. Sie hatte eine weitere Rolle gegen Jennifer Lawrence verloren und jetzt schäumte sie vor Wut. Ja, sie war zehn Jahre älter als JLaw, aber die Figur, die sie gesucht hatten, war Ende 30, wie Stella.

Was schlimmer war, war, dass sie sich einen Agenten teilten, was bedeutete, dass Dan Flint Jennifer mehr unterstützte als Stella - wahrscheinlich, weil sie mehr für Jen bezahlen würden und sein Anteil größer sein würde. Stella war alt genug und klug genug, um zu wissen, dass das Sinn macht, aber wo war sein Gefühl der Loyalität? Stella hatte ihn mehrmals zum Millionär und, was noch wichtiger war, zu einem Machtakteur in Hollywood gemacht.

Stella zündete noch eine Zigarette an. Es tötete ihren Appetit, aber in letzter Zeit hatte sie angefangen, sich zu fragen, ob sich der ständige Hunger und das Training für die Rollen, die sie bekam, gelohnt hatte. Außer dieser hier, natürlich. Sie hatte geplant, dass dieser Film derjenige sein sollte, der ihre Karriere wieder in Gang brachte. Sie ist vielleicht der größte Filmstar der Welt, aber wenn man ganz oben war, gab es nur einen Weg... runter.

Sie schrubbte mit den Händen an ihrem Gesicht. Gott, sie war erst sechsunddreißig, aber sie fühlte sich ein Jahrzehnt älter. Vielleicht lag es daran, dass sie die ganze Zeit mit jemandem so jung wie Biba zusammen war. Stella war nicht jemand, der weibliche Freunde hatte und ihre eigene Mutter war von ihr entfremdet. Die ältere Reckless hatte fünf Jahre zuvor ein Enthüllungsbuch über ihre Tochter geschrieben, das Stellas Karriere mit ihren Enthüllungen von Teenager-Schwangerschaften und Abtreibungen fast torpediert hätte. Biba war die Person, die Stella am nächsten stand, nicht, dass Stella das je zugeben würde. Deshalb war Biba ehrlich gesagt, wen Stella Dampf ablassen musste, am stärksten betroffen.

Stellas größte Angst im Leben war, jemandem zu nahe zu sein - und ihn dann zu verlieren. Es kam daher, dass sie mit acht Jahren ihren geliebten Pa verlor, plötzlich, in einem feurigen Autowrack. Sie war im letzten Moment aus dem Auto gezogen worden und hatte seine Schreie gehört, als er starb. Diese Schreie blieben bei ihr. Wenn sie sich also dabei ertappte, sich auf ihre Langzeitassistentin zuzubewegen, zog sie sich zurück und wurde extra zickig mit Biba.

Jetzt, als sie aus ihrem Wohnwagen stieg und zurück zum Herrenhaus ging, sah sie Biba und Cosimo Hand in Hand, so offensichtlich glücklich über ihre Liebe zueinander. Stella spürte wieder den Ruck, genau wie sie ihn hatte, als sie zum ersten Mal erkannte, dass Cosimo und Biba ineinander verliebt waren. Es tat weh. Sie hasste es, es zuzugeben, aber es tat höllisch weh, dass sie für Biba übergangen worden war.

Und dann war da noch die wilde, ungezähmte Schönheit von Biba. Stella wünschte sich, sie hätte die natürliche Frische von Biba, die völlige Unnötigkeit von Make-up und anstelle die ganze Vitalität des jugendlichen Geistes zu nutzen. Stella wünschte sich, dass sie sich nicht so sehr um ihr eigenes Aussehen kümmern musste; sie wusste, dass sie schön war, aber auf eiskönigliche Weise, nicht mit dem weichen, sinnlichen Hauch von frischer Luft, den Biba hatte.

Sie ignorierte Biba und Cosimo, als sie sich auf den Weg machten, um die anderen Mitglieder von Cast und Crew zu sehen. Franco küsste Biba's Wange und Sifrido drehte sie in seinen Armen. Oh Gott. Stellas Lippe kräuselte sich in einem Spott.

Als Biba zu ihr kam, drehte Stella kalte Augen auf sie. „Sind wir nicht der Mittelpunkt der Aufmerksamkeit?“

Sie drückte die Schuld beiseite, als sie Bibas Gesicht ein wenig betrübt werden sah. Biba hob sich jedoch schnell wieder. „Und dir auch einen guten Morgen. Ich wollte sehen, ob du dich Cos und mir und einigen anderen zum Mittagessen anschließen willst.“

„Nein, danke.“

Biba starrte sie an und ihre Augen wurden kalt. „Gut.“ Sie stolzierte weg und Stella seufzte. Was war das denn? Es war Biba's Geburtstag, um Himmels willen, warum sollte man sie nicht feiern? *Gott, ich verwandle mich in ein Klischee von der alten Filmstar-Zicke.* Sie wollte Biba nachrufen, um ihr zum Geburtstag zu gratulieren, aber Biba war bereits auf halbem Weg, ihr Arm um Cosimos Taille.

Scheiße. Es tut mir leid, Biba. Aber ich kann nicht zeigen, wie viel du mir bedeutest. Wenn ich das tue, werde ich die ganze Macht in unserer Beziehung verlieren.

Stella nahm etwas schwarzen Kaffee und ging zur Arbeit.

16

KAPITEL SECHZEHN

Sie filmten bis zum Mittagessen. Rich und Gunter hatten ein Barbecue auf dem Gelände eingerichtet - fettig, rauchig, soßig - Biba liebte es. Sie fühlte sich ein wenig überwältigt von der ganzen Aufmerksamkeit und war sich nicht ganz sicher, wie sie die Zuneigung dieser Menschen zu ihr verarbeiten sollte.

Sie nahm sich einen Moment Zeit, um sich zu entspannen und rief Reggie an.

„Hey, Geburtstagskind."

Biba entspannte sich. „Hey, Boo. Wie geht es deiner Mutter?"

„Es geht ihr gut, sie läuft ein wenig naserümpfend und sie mault als würde sie sterben."

„Das habe ich gehört", kam eine Stimme im Hintergrund und sowohl Biba als auch Reggie lachten.

„Mama wünscht auch alles Gute zum Geburtstag und bedankt sich für das Gute-Besserungs-Paket. Oh Gott, so viel Zucker, Beebs, versuchst du, meine Mutter zum Diabetiker zu machen? Es waren fünfzehn Packungen Gummibärchen."

Biba grinste. „Sie mag sie."

„Um Himmels willen. Bist du heute verwöhnt worden?"

„So sehr... Cos sagte mir, dass du das meiste davon organisiert hast, also danke."

„Nein, es war Teamarbeit. Genieße es, Boo."

Biba kicherte, aber Reggie muss etwas in ihrem Tonfall aufgeschnappt haben. „Was ist los, Beebs?"

Biba schluckte einen Klumpen in ihrem Hals. „Ich habe nur... es ist, als hätte man wieder eine Familie."

Reggies Stimme wurde leiser. „Wir lieben dich, Blödi. *Natürlich* sind wir deine Familie. Hör zu, ich habe ein Geschenk für dich, aber ich glaube nicht, dass ich morgen wieder da sein werde. Wahrscheinlich Dienstag oder so."

„Alter, mach dir keine Sorgen. Ich vermisse dich, aber deine Mutter ist wichtiger. Sag ihr, dass ich sie liebe, ja?"

„Das werde ich. Alles Gute zum Geburtstag, Liebling."

COSIMO HATTE eine weitere Überraschung für sie auf Lager... sie würden mit dem Hubschrauber nach Gig Harbor fliegen. Als sie über Ruston und Shore Acres flogen, küsste Biba Cosimo. „Du bist das beste Geschenk, das eine Frau haben kann."

Cosimo grinste. „Ha, erzähl es mir noch einmal an unserem fünfzigsten Hochzeitstag, wenn ich neunzig bin und du immer noch lebendig und aktiv bist. Du wirst mich gegen ein jüngeres Modell eintauschen."

„Nun, *natürlich*"" versuchte Biba, ein klares Gesicht zu bewahren. „Aber ich denke, du überschätzt, wie lange ich darauf warten werde, mir einen jüngeren Geliebten zu nehmen."

Cosimo grinste. „Oh, wirklich? Verdammt, ich habe auf mindestens fünfzig Jahre gesetzt."

Sie lachten beide und Cosimo schloss seine Finger mit ihren. „Gott, du machst mich glücklich, Biba May."

„Kann ich so zurückgeben, Hübscher."

Cosimo strahlte und nickte dann aus dem Fenster des Hubschraubers. „Wir sind da."

. . .

Beide waren sich einig, dass der Gondolierritt unglaublich romantisch war, aber beim Abendessen in einem der exklusivsten Restaurants der Stadt drückte Cosimo seine wahre Liebe zu seiner Heimatstadt Venedig aus. „Es ist der unglaublichste Ort, um erwachsen zu werden. Wir haben Nicco jeden Sommer dorthin gebracht. Grace und ich haben immer die Regel befolgt, wenn der eine arbeitet, arbeitet der andere nicht. Aber im Sommer haben wir es in Venedig immer einen Monat zusammen geschafft. Als Nicco älter wurde, wollte er natürlich den Sommer mit seinen Freunden verbringen, also gingen die Reisen nach Hause zu Ende."

„Hat deine eigene Mutter dort nie gelebt?"

„Nur als ich jung war."

Biba studierte ihn. „Du hast deinen Vater nie erwähnt."

Cosimo trank seinen Wein und zuckte mit den Achseln. „Weil ich ihn nie kannte. Mama wurde von einem verheirateten Mann schwanger - sie wusste nicht, dass er verheiratet war - und beschloss, mich selbst großzuziehen. Wir lebten sogar eine Zeitlang in Frankreich in einer frauengeführten Gemeinde, bevor wir hierher kamen."

„Und sie ist Amerikanerin?"

Cosimo nickte. „Geborener Washingtoner und dort auch aufgewachsen."

„Ich kann es kaum erwarten, sie zu treffen."

Cosimo küsste ihre Hand. „Sie wird dich lieben, Biba."

Als sie nach Lakewood zurückkehrten, sah Biba, dass der kleine Strand neben dem See mit Tiki-Fackeln beleuchtet war und ein Nervenkitzel lief durch sie hindurch. „Was habt ihr verrückten Leute jetzt getan?"

Cosimo lachte. „Warte es ab."

Ihre Freunde und Kollegen begrüßten sie und sie sah Rich mit einem Grinsen vor Cosimo nicken.

„Jetzt?"

„Jetzt", stimmte Cosimo zu und er nahm Biba's Hand und lächelte sie an. "Alles Gute zum Geburtstag, Baby."

Biba sprang fast aus der Haut, als das Feuerwerk anfing, durch den Nachthimmel zu schießen und in einem Aufstand von Farben über ihnen zu explodieren. Sie lachte und schüttelte den Kopf. „Du hast das alles für mich getan?“

Cosimo küsste sie zärtlich. „Du wirst so sehr geliebt, Biba, nicht nur von mir. Von Reggie, von Rich, von den anderen... sogar Stella liebt dich.“

„Ha.“

„Das tut sie. Sie versteckt es nur gerne.“ Er sah sich nach der blonden Schauspielerin um, aber Stella war nirgendwo zu sehen. „Hey, Rich, ist da jemand immer noch eine Diva?“

Rich legte seinen Arm um Biba's Schultern. „Stel hat den ganzen Nachmittag geschmollt und sich in ihrem Wohnwagen versteckt. Soll ich sie suchen gehen?“

Biba schüttelte den Kopf, aber Cosimo rollte mit den Augen. „Ja, geh und finde sie. Sag ihr, sie soll aufhören, ein gemeines Mädchen zu sein und zum Spielen rauskommen.“

Reichlich gekichert. „Wird gemacht.“

Biba seufzte. „Denn dieser Tag war magisch, einfach magisch. Danke, Baby.“

Cosimos Handy klingelte und er grinste, als er sah, wer anrief. „Ich glaube, das ist für dich, Beebs.“ Er reichte ihr sein Handy und Biba sagte, „Hallo?“

„Herzlichen Glückwunsch zum Geburtstag!“, sang Nicco am Telefon und Biba lachte.

„Hey, Nic, vielen Dank, dass du angerufen hast. Dein Vater hat mich den ganzen Tag verwöhnt.“

„Er sagte, er würde es tun - wie war die Gondel?“

Biba lachte. „Unglaublich. Aber du hast das echte gemacht, was?“

„Schon eine Weile nicht mehr. Vielleicht könnten wir alle im Sommer nach Venedig fahren... oh, oh, Großmutter will hallo sagen.“

Biba's Herz schlug ein wenig schneller, als eine sanfte Stimme Hallo sagte. „Hallo, Miss DeLuca. Es ist wunderbar, Sie zu treffen oder mit Ihnen zu sprechen.“

Olivia DeLuca lachte. „Bitte nenn mich Olivia und ich habe so viele gute Dinge über dich gehört. Alles Gute zum Geburtstag, Liebling."

„Vielen Dank." Biba's Nerven lösten sich, als sie für ein paar Minuten mit Cosimo's Mutter plauderte, dann kam Nicco wieder am Telefon.

„Ja, wie ich schon sagte, vielleicht können wir alle im Sommer nach Venedig fahren. Es ist ein cooler Ort – es gibt viele Dinge, die ich dir zeigen kann."

„Klingt gut für mich, Nic. Willst du mit deinem Vater sprechen?"

„Ja, bitte. Nochmals alles Gute zum Geburtstag, Beebs, bis bald."

Als sie Cosimos Handy an ihn zurückgab, fühlte sich Biba an, als würde ihr ganzes Wesen vor Freude brummen. Sie fühlte sich, als hätte sie jetzt eine Familie - Cosimos Sohn und Mutter nahmen sie so bereitwillig an. Sie fühlte, wie Tränen in ihre Augen flossen und als Cosimo seinen Anruf beendete, fuhr er seinen Finger über ihr Wangenbein und wischte die Tränen weg.

„Freudentränen", sagte sie, „Ich verspreche es. Ich kann nicht glauben, dass das alles passiert, Cos. Ich liebe dich so sehr."

Cosimo nahm sie in seine Arme. „Du hast meine Welt, Biba, von einem Ort der Dunkelheit zu einem Ort des Lichts gemacht. Ich liebe dich."

Biba konnte nicht sehen, wie sie jemals wieder unglücklich sein konnte, aber innerhalb der Stunde wurde ihnen allen gezeigt, dass manchmal Welten im Handumdrehen zerbrechen können.

17

KAPITEL SIEBZEHN

Als sie Hand in Hand zum Herrenhaus zurückgingen, sah Biba zu den Wohnwagen hinüber. Sie konnte ein schwaches Licht im inneren des Größten sehen und sie wusste, dass Stella in ihrem Anhänger schmollte. Sie stubste Cosimo an. „Ich werde mit Stella Frieden schließen", sagte sie. „Ich fühle mich schlecht wegen unseres Streits."

Cosimo seufzte. „Baby, Stella muss ein wenig erwachsen werden und erkennen, dass sich nicht alles um sie dreht."

„Ich weiß, aber ich fühle mich schlecht."

Cosimo hielt an. „Willst du, dass ich mitkomme?"

Biba küsste ihn. „Ich denke, dass deine Anwesenheit die Sache noch verschlimmern könnte. Ich wusste, dass sie mit uns nicht einverstanden ist. Ich denke, darum ging es bei ihrem Wutanfall, wirklich."

„Sie muss sich daran gewöhnen." Cosimo lehnte seine Stirn gegen ihre. „Ich liebe dich."

Biba lächelte. „Ich liebe dich auch, Cosimo DeLuca. Danke für einen perfekten Geburtstag."

„Bleib nicht zu lange weg."

„Ich verspreche es."

Der Regen fing nun an wie aus Eimern zu gießen und Biba ging schnell auf die Anhänger zu und machte sich auf den Weg durch das Labyrinth von ihnen zu Stella's. Als sie sich ihr zuwandte, fiel sie fast über jemandem der am Boden lag. „Hey!“

Im schwachen Licht sah sie, dass es Rich war. „Mann, wie viel hast du getrunken, Richyboy?“

Er lag mit dem Gesicht nach unten und stöhnte nicht einmal, als sie ihn mit dem Zeh stieß. „Rich?“

Sie schaffte es, ihn auf den Rücken zu drehen und keuchte. Die Vorderseite seines T-Shirts war von Blut getränkt. Biba taumelte zurück. „Oh mein Gott... Hilfe! Jemand muss uns helfen! Rich? Rich, komm schon, Mann, wach auf.“

Dann hörte sie Stella schreien und vor Entsetzen sah sie eine dunkle Gestalt, die eine nackte und schreiende Stella aus ihrem Anhänger zerrte.

„Nein!“ Biba stürzte sich auf sie, ihr Körper schlug die Person von ihrer Chefin weg. Der Regen machte den Boden rutschig und der Angreifer stolperte, als Biba auf seinen Rücken schlug. Stella war vor Entsetzen erstarrt.

„Stella! Renn!“, schrie Biba sie an, als der Angreifer sie abschüttelte und nach Stella griff. Biba wollte nicht zulassen, dass ihre Chefin geschnappt wird und sie warf sich mit voller Kraft gegen den Angreifer. Sie hörte Schreie aus der Richtung des Herrenhauses kommen. „Stella, lauf! Cosimo kommt...“

Der Angreifer packte sie mit einer Hand an der Kehle und schlug ihren Rücken gegen den Anhänger. Er fuhr mit der Faust in ihren Magen - zwei heftige Schläge - und Biba sackte zusammen, die Luft aus ihr herausgeschlagen.

Sie keuchte etwas Luft in ihre Lungen und beobachtete, wie der Angreifer eine kriechende Stella packte und sie wegzerrte. Als Biba versuchte, sich zu erheben und ihnen zu folgen, wollten ihre Beine nicht funktionieren. Sie konnte Cosimo hören, wie er ihren Namen rief.

„Ich bin hier...“, aber auch ihre Stimme wollte nicht funktionieren und jetzt überkam sie eine Welle des Schwindels. Der Schmerz von den Schlägen löste sich nicht auf - tatsächlich wurde er immer schlimmer. Biba schaffte es, sich nach oben zu ziehen und ein paar Schritte nach vorne zu taumeln, als das Licht anging und Cosimo in ihr Blickfeld platzte. Biba sah den Schrecken in seinen Augen und sie zeigte auf Rich. „Hilf ihm."

Aber Cosimo lief auf sie zu und schrie ihren Namen und Biba blickte nach unten. Jetzt wusste sie, warum sein Gesicht so voller Entsetzen war. Der Griff eines Messers ragte aus ihrem Bauch, ihr weißes Kleid rot und rosa. Sie blickte in Cosimos verstörend grüne Augen, als ihre Beine sie schließlich im Stich ließen und er fing sie, als sie fiel.

„Er hat mich erstochen?", sagte sie ungläubig und schüttelte den Kopf. „Er hat Stella entführt, Cos. Er hat Stella entführt."

Die Schmerzen wurden schlimmer und schwarze Flecken tanzten in ihrer Vision. *Ich sterbe. Wir haben keine Zeit, keine Zeit.*

„Ich liebe dich", sagte sie und berührte Cosimos Gesicht und dann war alles still.

18

KAPITEL ACHTZEHN

Zwei Jahre zuvor saß Cosimo DeLuca am Bett seiner sterbenden Frau und hielt ihre Hand, als sie friedlich einschließ, ein weiteres Opfer von Krebs. Er hatte gedacht, es wäre der schlimmste Tag seines Lebens.

Es war nichts im Vergleich zu dem Schrecken, den er jetzt empfand. Wartend und bedeckt im Blut seiner 22-jährigen Liebhaberin, wurde ihm gesagt, er solle im Wartezimmer zurückbleiben. Sowohl Biba als auch Rich waren in die Notaufnahme gerast worden; das FBI und die Polizei waren überall in Lakewood und im Krankenhaus; Journalisten kämpften draußen um einen Platz für die Nachrichten.

Rich war in einem sehr schlechtem Zustand – mehrere Stichwunden in der Brust. Gunter war untröstlich. Aber alles, woran Cosimo denken konnte, war Biba: ihr bleiches Gesicht, das Blut, das aus ihren Wunden floss. Er hatte sie auf den nassen Boden gelegt und hart auf die grausamen Wunden in ihrem Bauch gedrückt und versucht, ihr Blut in ihr zu halten. Sie mussten ihn von ihr wegreißen, als die Ersthelfer kamen.

Seine Biba. Seine schöne, temperamentvolle, lebenslustige Biba lag im Sterben und es gab nichts, was er dagegen tun konnte.

Die Polizei hatte die Daten von ihr und Rich aufgenommen und ihnen gesagt, dass sie sich mit ihrer Familie in Verbindung setzen würden. Cosimo fragte sich, ob es Biba's Eltern interessieren würde. Er sagte der Polizei, sie sollen Reggie finden – er war derjenige, der ihrer Familie am nächsten kam – mit Ausnahme von Cosimo selbst.

Cosimo hatte seine Mutter angerufen und ihr erzählt, was passiert war. „Mom, ich muss Nicco sagen - er kann das nicht aus den Nachrichten erfahren."

„Dad?"

Cosimo brach fast zusammen, als er seinen Sohn hörte. „Nicco... Biba ist verletzt. Es gab einen Vorfall – Stella wurde entführt und Rich und Biba wurden verletzt, als sie ihn aufzuhalten versuchten."

Es herrschte gedämpfte Stille, dann sprach Nicco und seine Stimme war rau vor Schreck. „Geht es ihr gut?"

„Nein, Sohn, das tut es nicht. Auf sie wurde gestochen. Sie operieren sie gerade."

„Ich komme runter."

Cosimo geriet fast in Panik. „Nein. Nein. Nein, Nic, wirklich. Du willst nicht hier sein, es ist... die Hölle."

„Dad." Die Art und Weise, wie Niccos Stimme zitterte, brach Cosimos Herz.

„Ich verspreche, ich schwöre, wenn es ihr schlechter geht... rufe ich dich sofort an. Ich verspreche es bei meinem Leben, Nicco."

Eine weitere lange Pause. „Okay. Sag ihr, sie soll kämpfen, Pa. Wenn es jemand kann, dann sie. Ich weiß es."

„Danke, Kumpel. Sie wird kämpfen... das ist Biba's Art."

„Ich liebe dich, Daddy."

Jetzt brach Cosimo in Tränen aus. „Ich liebe dich auch, Nic. Bitte, bete für sie."

Er ging fort, um im Privaten zu weinen, dann kehrte er in das Wartezimmer zurück, um sich auf die Couch zu legen. Lars legte seinen Arm um Cosimos Schultern. „Hoffnung behalten, Cos. Hoffnung behalten."

Eine Stunde später kamen sie, um ihnen zu sagen, dass Rich tot ist.

. . .

Biba wachte auf, atmend wie verrückt und versuchte, sich aufzurichten, nur um von festen Händen wieder nach unten gedrückt zu werden. „Süße, du kannst nicht aufstehen. Hol ein wenig Luft... genau so... konzentriere dich auf mein Gesicht." Das Gesicht eines Mannes, bedeckt mit einer chirurgischen Maske, ragte in ihr Blickfeld. „Es ist okay, Biba, du bist in Sicherheit. Es geht dir gut. Du bist im Aufwachraum des *Sacred Heart Medical Center*."

Eine weitere sanfte Hand streichelte ihre Stirn. Ein anderes Gesicht, eine Krankenschwester, lächelte sie an. „Das hast du gut gemacht, Biba. Wir behalten dich jetzt im Auge... du hast viel Blut verloren."

„Erstochen", quakte sie unter einer Sauerstoffmaske hervor und die Frau nickte.

„Ich weiß, Baby, es tut mir leid."

„Stella?"

Biba sah, wie sie sich gegenseitig ansahen. „Wir wissen von nichts außer dir, Biba. Wir wissen, dass dein Partner auf Neuigkeiten wartet. Ich werde ihm nur von deiner Operation erzählen."

„Ich will ihn sehen."

„Sobald du stabil bist, Süße."

Biba nickte und spürte, dass sie sich kaum konzentrieren konnte. Sie fragte sich, warum sie keine Schmerzen verspürte und erinnerte sich dann daran, dass sie ihr Morphium gegeben hätten. Aber sie lebte noch.

Ging es Stella gut? Was war mit Rich? Wie war der Tag von einer solchen Freude zu einem solchen Entsetzen geworden?

Biba schloss die Augen und fühlte sich hilflos. Was zum Teufel war los mit den Leuten?

Sie schlief, anfangs unruhig, aber dann sank sie in einen tiefen, erholsamen Schlaf und wachte zu strahlendem Sonnenschein auf, der in ihren Augen weh tat und eine vertraute Hand hielt ihre.

„Snooks?"

Seine Stimme ließ sie entspannen, sein Spitzname ließ sie

lächeln. „Cos..."

„Gott sei Dank, es geht dir gut, Baby. Es wird alles gut werden." Seine grünen Augen waren voller Schmerz.

Sie streckte die Hand aus und streichelte seine Wange. „Mir geht es gut. Stella?"

Cosimo schien für einen Moment zu kämpfen. „Er hat sie mitgenommen. Das FBI und die Polizei haben eine Fahndung eingeleitet."

„Gott." Biba versuchte erneut, sich wieder aufzurichten und Cosimo half ihr in Position. Biba berührte die schweren Verbände an ihrem Bauch. „Wie schlimm ist es?"

„Es hätte viel schlimmer kommen können. Keine größeren Organe, aber deine Arterie wurde beschädigt. Sie haben sie zusammengeflickt und scheinen zuversichtlich zu sein, dass du dich schnell erholen wirst, aber du brauchst noch mehr Bluttransfusionen."

Cosimo erzählte ihr das alles, als ob das Rezitieren dessen, was die Ärzte ihm gesagt hatten, ihm Hoffnung gab. Biba nickte.

„Ich fühle mich wirklich nicht schlecht. Ein wenig Schmerz."

Cosimo legte ihr den Klicker in die Hand. „Drück das für Morphium." Er stieß einen wackeligen Atemzug aus. „Gott, Biba, als ich dich mit Blut bedeckt sah, das Messer aus dir herausragend... Ich dachte, ich hätte dich verloren."

„Ich bin immer noch hier." Biba streckte die Hand aus, um sein Kinn nach oben zu neigen und ihn dazu zu bringen, ihr in die Augen zu schauen. „Rich?"

Sie sah die Trauer in seinen Augen und stöhnte „Oh, nein...", als Cosimo ihr sagte, dass Rich es nicht geschafft habe. „Nicht Rich... *Gott*, Cos..." Sie fing an zu weinen und er wiegte sie in seinen Armen.

Als ihr Schluchzen zu einem Wimmern wurde, kam eine Ärztin herein, um sie zu sehen. Biba konnte sehen, wie die Frau sie auf Anzeichen von Schmerzen oder Stress untersuchte. Sie wischte sich die Augen ab. „Mir geht es gut, Doc, nur... ein Freund ist gestorben."

„Mr. Furlough? Ich weiß. Es tut mir so leid für deinen Verlust. Wie fühlst du dich heute Morgen, allgemein?"

Biba nickte. „Eigentlich okay... müder als alles andere."

Die Ärztin ließ sie sich zurücklehnen, während sie Biba's

Verbände öffnete und ihre Wunden untersuchte. Biba sah die zerklüfteten Schnitte und Nähte an ihrem Bauch; Cosimo wandte sich ab und sah übel und wütend zugleich aus. Die Ärzting untersuchte die Wunden. „Wir haben es geschafft, die Schäden leicht zu beheben - keine Organschäden, was die größte Sorge war. Keine Anzeichen einer Infektion, was gut ist. Die Müdigkeit, die du erlebst, ist auf den Blutverlust und das Trauma zurückzuführen. Du warst von Anfang an ein wenig anämisch - wusstest du das?"

Biba schüttelte den Kopf. „Das wusste ich nicht."

„Nun, wir werden dich für ein paar Tage hier behalten und dann kannst du nach Hause gehen, um dich zu erholen."

Biba war überrascht. „So schnell?"

„Du hattest großes Glück. Ich komme später wieder zu dir."

Sowohl Biba als auch Cosimo dankten ihr, dann kehrte Cosimo zurück, um bei ihr zu sitzen. „Du wirst in meiner Hotelsuite wohnen, während du dich erholst. Offensichtlich wurde die Produktion des Films eingestellt; wir schaffen es nicht ohne Stella."

„Gott, ich hoffe, es geht ihr gut."

Cosimo schüttelte den Kopf. „Ich bete nur, dass wir sie finden, bevor dieser Psychopath etwas Dummes macht."

STELLA GING es nicht annähernd gut. Ihr Entführer hatte sie angeschrien weil ‚du mich dazu gebracht hast, diese Menschen zu verletzen, mich dazu gebracht hast, dieses Mädchen zu töten', als er mit ihr in die Nacht weggefahren war und sie kauerte von seinem schrecklichen Zorn weg. Zumindest hatte er ihr eine Decke zugeworfen, um sich zu bedecken und sie wickelte sie fest um ihren Körper. Sie bedeckte ihren Körper, schützte sie aber nicht vor der beißenden Kälte.

„Wohin bringen Sie mich?"

Er antwortete nicht. Er trug eine schwarze Sturmhaube und bizarrerweise hatte sie seine leuchtend blauen Augen gesehen – *zu blau*. Kontaktlinsen? Auch seine Stimme war verstellt. Er hat sich versteckt.

Stella war übel. Als sie zusehen musste, wie er Biba so gnadenlos erstach, sah wie ihre Assistentin – ihre *Freundin* – zusammenbrach, blutgetränkt, war Stella erstarrt und konnte nicht glauben, was sie sah. *Oh Biba, es tut mir leid, es tut mir so leid.* Stella fragte sich, ob sie tot war.

Sie erinnerte sich kaum daran, wie er sie zu seinem Van geschleppt hatte. Nun, mit hinter dem Rücken gefesselten Händen, lag sie auf dem eisigen Metallboden eines Lieferwagens, während er ihn fuhr. Sie hatte das Gefühl, dass sie aufwärts fuhren und wegen der Kälte ahnte sie, dass sie einen Berg hinauffuhren. Vielleicht Rainier, oder Olympic National Park. Sie hatte die Zeit aus den Augen verloren; sie hätten stundenlang unterwegs sein können. Vielleicht wollte er sie sogar nach Kanada bringen.

„Bitte", sagte sie leise. „Bitte sagen Sie mir, was Sie wollen."

Nichts. Stille. Sie änderte den Kurs. „Mir ist sehr kalt... Sir. Könnten Sie vielleicht die Heizung anmachen?"

Wieder keine Antwort, aber sie sah, wie er die Heizung aufdrehte. „Danke." Gut, das gab ihr die Hoffnung, dass er etwas Menschlichkeit in sich hatte. Sie schwieg und versuchte herauszufinden, wie sie damit umgehen sollte. Soll sie ihm geben, was er wollte? Ihre Liebe? Ihr Körper? Stella war erwachsen. Wenn es nötig wäre, ihm diese Dinge anzubieten, um ihr Leben zu retten, würde sie es tun. Oder sollte sie versuchen, Macht auszuüben, indem sie die Diva in sich aufdreht? Würde das bedeuten, dass er sie schneller töten würde?

Was willst du denn? Sag es mir...

Eine Stunde später kam der Van zu einem abrupten Halt und der Mann stieg aus und kam zur Rückseite des Fahrzeugs. Er zog die Türen auf und packte sie, wickelte einen dicken Mantel um sie herum und hob sie leicht hoch. Sie hatte Recht gehabt – sie waren in den Bergen. Schnee wirbelte um sie herum, was es schwer machte zu sehen, aber bald erkannte sie, dass er sie zu einer Art Hütte brachte. Es war warm beleuchtet und Stella fühlte eine kleine Welle der Hoffnung.

Aber einmal drinnen, als sie sah, was für ein Monster er wirklich war, starb all ihre Hoffnung und Stella Reckless begann zu schreien.

19

KAPITEL NEUNZEHN

Reggie, atemlos und zitternd, stürzte in Bibas Krankenhauszimmer und ließ sowohl sie als auch Cosimo hochschrecken. Reggie starrte sie an. „Oh, danke Gott... danke Gott..."

Er warf sich auf sie und Biba umarmte ihn hart und zuckte leicht wegen der Kraft seiner Umarmung. Für ein paar Minuten versicherte sie ihm, dass es ihr gut ging; alles okay war. Cosimo ließ sie allein und warf ein Lächeln seiner Geliebten zu, bevor er den Raum verließ.

Reggie setzte sich schließlich auf den Stuhl, den Cosimo verlassen hatte. „Gott, Biba... Es tut mir leid, dass ich so spät dran bin. Mom wurde kränker und als Cosimo anrief... war auf der I-5 ein Stau."

„Es ist okay, es geht mir gut", sagte Biba. Sie deutete auf einen Blutbeutel hin, der über ihr hing. „Ich krieg nur noch was frisches in mich gepumpt." Sie schenkte Reggie ein halbes Lächeln, dann verblasste es. „Rich ist tot, Reg."

Er nickte. „Ich weiß. Gott, es tut mir leid... haben sie irgendwelche Neuigkeiten über Stella?"

„Nichts. Wer auch immer sie genommen hat, hatte es perfekt geplant. Zumindest ist es das, was das FBI denkt."

Reggie seufzte und schüttelte den Kopf. „Agent Harris schon wieder?"

„Jawohl."

„Alter... hätten sie nicht jemanden schicken können, der kein Idiot ist? Stellas Leben ist in Gefahr."

Biba's Augen waren voller Tränen und Reggie drückte ihre Hand. „Es tut mir leid, Boo, ich wollte dich nicht bedrücken. Ich meine nur... Gott, ich weiß nicht."

„Cosimo hat Privatdetektive beauftragt, um nach ihnen zu suchen. Sie haben Fragen."

Reggie sah beeindruckt aus. „Wie zum Beispiel?"

„Wie zum Teufel ist der Entführer an den Toren vorbeigekommen? Woher wusste er, dass Stella allein in ihrem Wohnwagen war, als der Rest von uns am See war?" Biba seufzte und rieb ihr Gesicht mit den Fingern, hart genug, um rote Spuren zu hinterlassen. „Reg... wer würde das tun? Rich Umbringen? Stella entführen?"

„Ein Psychopath, Beebs. Das ist das Einzige, was ich weiß." Er nickte ihrem Körper zu. „Tut es weh?"

„Es ist schmerzhaft, aber erträglich." Biba schaute aus dem Fenster. „Gunter ist völlig zerstört, Reg. Er kam gestern zu mir... er ist kaputt." Ihre Stimme zitterte.

Reggie schüttelte den Kopf, seine Augen waren voller Mitgefühl. „Es tut mir so leid... Rich war einer der Guten."

„Das war er."

Sie saßen eine Weile in geselliger Stille. „Wie geht es deiner Mutter?"

„Die Ärzte denken, dass es jetzt vielleicht eine Lungenentzündung sein könnte. Sie ist ziemlich krank."

Biba stöhnte. „Gott. Reg, du musst zu ihr zurückkehren. Mir geht es hier gut, ernsthaft. Wenn alles gut geht, werde ich in ein paar Tagen hier raus sein und ich habe Cosimo, der sich um mich kümmert. Mary braucht dich."

Er sah sie unglücklich an. „Bist du sicher?"

„Auf jeden Fall. Geh zu ihr zurück, Reggie. Du kannst mich anrufen, wann immer du willst."

Er stand auf und umarmte sie wieder. „Ich liebe dich."

„Ich liebe dich auch", sagte sie lächelnd zu ihm. „Hey und hör zu. Sag deiner Mutter, dass Gummibärchen gut gegen Lungenentzündung sind."

Reggie rollte mit den Augen und kicherte. „Werde ich... sie wird nicht viel Überredungskunst brauchen. Bis später, Beebs. Schön, dass es dir gut geht."

„Bis später, Reggie."

UNTEN SPRACH Cosimo mit einigen der Krankenschwestern auf der Station. „Es ist üblich, dass wir den Verwandten bitten, Blut zu spenden", sagte einer von ihnen zu ihm.

„Natürlich. Ich kann das jetzt machen, wenn mir gesagt wird, wo."

„Ich komme mit dir mit."

Cosimo drehte sich um und sah seine Mutter Olivia und Nicco auf ihn zukommen. „Hey... Hey, Leute... warum seid ihr hier?"

„Denkst du wirklich, dass wir nicht kommen werden, um dich und Biba zu unterstützen? Allerdings kenne ich meine Blutgruppe nicht."

Cosimo umarmte seinen Sohn und seine Mutter. „Sowohl deine Mutter als auch ich waren O negativ, also wirst du es auch sein."

„Ah, gut", sagte die Krankenschwester, „der universelle Blutspender. Wir werden es jedoch überprüfen. Wir tun dies immer vor einer ersten Spende. Kommt mit mir."

Während sie gingen, bombardierte Nicco Cosimo mit Fragen. „Geht es Biba gut? Haben sie Stella gefunden?"

„Ja und nein", sagte Cosimo, als sie sich auf den Weg zum Blutspenderaum machten. „Das FBI ist auf der Jagd, aber es gibt keine Neuigkeiten. Biba geht es gut - tatsächlich, besser als erhofft. Sie wird sich freuen, euch beide zu sehen."

. . .

Sie füllten die vorläufigen Unterlagen aus und alle drei ließen ihre Blutgruppen testen. Während sie warteten, um Blut zu spenden, versuchte Cosimo sich zu entspannen. Es waren so eineinhalb Tage gewesen, dass er sich fühlte, als würde er kaum Luft holen.

Die Krankenschwester kam herein und sah verwirrt aus. „Wir müssen deine Blutgruppe noch einmal checken, junger Mann", sagte sie, „wir denken, wir haben eine schlechte Messung."

Nicco zuckte mit den Schultern. „Sicher, kein Problem."

Zwanzig Minuten später kam der Arzt, um sie zu sehen. Sein Gesicht ist ernst. „Kann ich ein paar Details noch einmal überprüfen?"

„Sicher."

Er fragte Cosimo nach Niccos Geburt und den damit verbundenen Umständen. Sowohl Cosimo als auch Nicco tauschten verwirrte Blicke aus. Olivia übernahm die Leitung.

„Doktor, sagen Sie es uns ganz offen. Was ist los?"

Der Arzt sah unbehaglich aus. „Mr. DeLuca, die Blutgruppe Ihres Sohnes wurde fünfmal von unseren Krankenschwestern getestet und ergab jedes Mal das gleiche Ergebnis. Blutgruppe AB positiv. Es gibt keinen Zweifel."

Cosimo fühlte, wie das Blut aus seinem Gesicht wich. „Was?"

Nicco bekam es vor seinem Vater und wandte sich mit einem grimmigen Gesicht an sie. „Sie meinen, dass ich nicht dein Sohn bin, Dad. Sie meinen, dass Mom dich betrogen hat..."

20

KAPITEL ZWANZIG

Eine Woche. Das war alles, was es war, aber ihr Leben hatte sich unermesslich verändert. Biba wurde nach fünf Tagen aus dem Krankenhaus entlassen und sie und Cosimo gingen in sein Hotel in der Stadt. Das Set in Lakewood war als Tatort angesehen worden und der Film wurde vorerst abgebrochen, so dass die Besetzung und die Crew zu den Hotels aufgebrochen waren. Jeder von ihnen war über die Nacht von Richs Mord und Stellas Entführung befragt worden. Die nationalen Nachrichtenmedien verfolgten jeden ihrer Schritte.

Cosimo gelang es, Biba mit dem Dienstaufzug ins Hotel einzuschmugeln. Die Journalisten hatten erfahren, dass Cosimo und Biba in einer Beziehung waren und waren fasziniert von der Geschichte des rasend gutaussehenden filmenden Wunderkindes und der amerikanischen Schönheit, in die er sich verliebt hatte.

Cosimo war immer noch von der Offenbarung von Niccos Abstammung erschüttert. Alles, was er von seiner Ehe geglaubt hatte, zerfiel um ihn herum. Schlimmer noch, er war untröstlich, bis Nicco, Olivia und Biba ihm alle das Gleiche gesagt hatten. Nicco, als Teenager, hatte es am besten unverblümt ausgedrückt. „Es ist mir scheißegal, wessen DNA ich habe... du bist mein Vater und fick auf alles andere."

Biba stimmte ihm zu. „Vergiss die Blutgruppen. Du hast ihn aufgezogen, weil... Nicco dein Sohn ist."

JETZT, allein mit Biba in ihrer Hotelsuite, fühlte sich Cosimo endlich in der Lage, sich dem Geschehenen zu stellen. Sie lagen zusammen auf dem Bett. Biba küsste ihn. „Scheint seltsam zu sein, mit dir im Bett zu liegen und keinen Sex zu haben. Bist du sicher, dass der Arzt sechs Wochen und nicht sechs Stunden gesagt hat?"

Cosimo kicherte. „Leider ja. Aber du musst heilen. Gott, wir hatten Glück, dass es nicht schlimmer war."

„Ich kann nicht aufhören, an Stella und Rich zu denken. Rich hat Besseres verdient. Was glaubst du, was passiert ist?"

„Ich denke, wie du, kam er zur falschen Zeit, gerade als der Psycho im Begriff war, Stella zu entführen. Oder vielleicht kam Rich vorher dorthin und er wurde erstochen, nur um ihn aus dem Weg zu räumen."

Biba sah blass aus. „Ich kann nicht aufhören, das Blut zu sehen."

Cosimo streichelte ihr Gesicht. „Versuch, nicht daran zu denken." Er drückte seine Lippen auf ihre und spürte, wie sie reagierte. „Biba...wenn das alles vorbei ist, würde ich dich gerne nach Italien mitnehmen – um einfach etwas Zeit für uns allein zu haben. Ich fühle in meinen Knochen, dass wir Stella lebend wiederbekommen."

„Wie kannst du dir da so sicher sein?"

Er lachte humorlos. „Ich weiß nicht."

Es klopfte an der Tür und Cosimo stand auf. Es war ihr privater Wachmann. „Es tut mir leid, Sie zu stören, Sir, aber es sind zwei Militärangehörige hier, um Sie zu sehen."

Cosimo war verwirrt, als Biba sich aufrichtete. „Ich weiß nicht..."

„Lass sie rein", sagte Biba mit seltsamer Stimme, stand und kam an seine Seite. „Bitte. Lass sie rein."

Cosimo sah sie verwirrt an, aber Biba's Ausdruck war hart wie Stein.

ALS DIE BEIDEN Besucher in die Suite traten - ein Mann und eine Frau - verstand Cosimo plötzlich. Biba versteifte sich neben ihm. „Nun," sagte sie mit einer Stimme wie Eis, „Hi, Mom. Hi, Dad. Wem verdanken wir das Vergnügen?"

COSIMO GING in die Bar und Sifrido und Franco winkten ihm zu. „Wie geht es Biba?"

„Im Moment schwer zu sagen. Ihre Eltern tauchten endlich auf... endlich."

Sifrido pfiff, aber Franco nickte. „Gut. Es wird auch Zeit."

Cosimo fühlte sich hundert Jahre alt. „Erzähl mir gute Nachrichten." Sifrido hatte die Führung übernommen, um mit den Ermittlungen der Polizei in Kontakt zu bleiben, während Lars und Channing sich um das Studio und das FBI kümmerten.

„Nun, wenn keine Nachricht eine gute Nachricht ist...", sagte Sifrido und Cosimos Schultern sackten herab.

„Verdammt. Ich fühle mich einfach so nutzlos. Können wir nicht einen öffentlichen Appell machen - irgendwas?"

„Wir könnten - aber wer weiß, ob es etwas nützen würde?"

Cosimo seufzte. „Es ist einen Versuch wert. Ich werde mit Lars und Chan sprechen. Vielleicht können wir Agent Doofus überreden, uns zu helfen."

„Vielleicht."

„Ich muss etwas tun... wie geht es Gunter?"

Franco seufzte. „Er hat gekündigt, das ist alles, was wir sicher wissen. Er geht zurück nach Deutschland, sobald es ihm erlaubt ist. Armes Kind. Rich war seine andere Hälfte in vielerlei Hinsicht. Manchmal erkennen wir nicht, dass eine tiefe Freundschaft genauso tiefgründig ist wie eine romantische oder familiäre."

. . .

OBEN in ihrer Suite fragte sich Biba, wer diese Leute jetzt für sie waren - diese Leute, die vor ihr standen. In Bezug auf das Äußere gab es ein paar mehr graue Haare, aber ansonsten sahen sie nicht anders aus als beim letzten Mal, als sie sie gesehen hatte.

„Also, ihr seid gekommen." Das war, nachdem alle drei zu lange geschwiegen hatten.

Ihr Vater räusperte sich. „Du warst verletzt."

„Auf mich wurde gestrochen. Ja. Ich war fünf Tage lang im Krankenhaus. Es war in den Nachrichten, deshalb nehme ich an, dass ihr es herausgefunden habt." Biba war nicht in der Stimmung, nett zu sein.

„Du hättest uns anrufen können." Ihre Mutter sprach schließlich und Biba entdeckte ein kleines Zittern in ihrer Stimme. Ihre Mutter, der Major, war wegen ihr nervös. Biba war es egal.

„Ich hätte es tun können, aber andererseits war ich damit beschäftigt, mich von der Messerstecherei zu erholen. Ich wurde erstochen. Hast du diesen Teil nicht verstanden?" Sie gab ein angewidertes Geräusch von sich. „Warum seid ihr hier?"

Ihr Vater blickte zu ihrer Mutter, dann räusperte er sich. „Wir wollten sagen... wegen Derek... Es tut uns leid. Es tut uns leid, dass wir nicht auf dich gehört haben."

Biba starrte ihren Vater an. „Derek wurde vor fünf Jahren ins Gefängnis gesteckt. Du hattest fünf Jahre Zeit, dich zu entschuldigen und ihr habt 'nen Scheiß getan. Warum jetzt?"

„Weil..."

„Weil ich erstochen wurde? Jetzt, wo ich fast ermordet wurde, bin ich es wert, dass man sich bei mir entschuldigt? Scheiß auf eure Entschuldigung."

Sie wandte sich von ihnen ab und wollte nicht, dass sie ihre Tränen sahen, aber ihre Mutter griff nach ihrem Arm.

„Biba... bitte. Hör uns an."

Biba seufzte. „Weißt du was? Gut. Ich akzeptiere eure Entschuldigung. Euch sei vergeben. Aber ihr müsst mich entschuldigen. Mein Freund wurde gerade ermordet und mein Boss - und Freundin - wird vermisst, entführt von einem Psychopathen, der sein Messer in meinen Bauch gestoßen hat. Zweimal. Ich habe keine Zeit für Wiedervereinigungen, wenn meine richtige Familie leidet. Bitte, geht einfach."

Sie drehte sich wieder um und ging zurück ins Schlafzimmer, schloss die Tür hinter sich, blieb aber in der Nähe, um zu hören, was sie beschlossen zu tun. Sie hörte leise Stimmen und die Tür der Suite wurde geöffnet und geschlossen. Sie schaute hinaus und sah mit Erleichterung, dass sie weg waren. Sie ging zum Wachmann und fragte ihn, wohin Cosimo gegangen sei.

„Ich glaube, er ist in der Bar, Miss May. Ich begleite Sie nach unten."

STELLA VERSUCHTE, den Gestank des Todes aus ihrer Nase mit der Decke zu blockieren, die er ihr gegeben hatte. Endlich hatte er ihr erlaubt, etwas zum Anziehen zu finden. Die Frau, die hier gelebt hatte - die Frau, die Stella mit starrem, totem Blick anstarrte, als sie sich in das winzigen, verschlossenen Schlafzimmer drängte - hatte ungefähr die Größe von Stella.

Als er Stella ins Schlafzimmer - ihr Gefängnis - geschleppt hatte, wie es schien – hatte er auf den Schrank hingewiesen, ohne etwas zu sagen. Stella war erbärmlich dankbar für die gefundenen Kleider - Pullover, Jeans, Fleeces und Socken. Sie hatte alles, was sie finden konnte, angezogen und Kleidung über Kleidung gelegt. Der Raum selbst war beheizt, das Bett bequem und Stella musste zugeben, wenn sie keine Angst um ihr Leben hatte, konnte sie so tun, als würde sie eine Pause machen.

Aber sie war verängstigt und schlief kaum, falls er sich ihr aufdrängen wollte. Aber er hatte sie für lange Zeit allein gelassen. Bis jetzt. Heute Morgen öffnete er ihre Tür und ließ sie ins Wohnzimmer kommen. Sie versuchte, die tote Frau nicht anzusehen, die im Sessel zusammengebrochen war, ihr blutgetränktes Hemd, der klaffende Schnitt im Hals, fast bis auf die Knochen. Die Brutalität ließ sie zittern, erinnerte sie - als ob sie es bräuchte - an die Art und Weise, wie er Biba angegriffen hatte - den völligen Mangel an Gnade.

„Wer war sie?“ fragte Stella ohne nachzudenken, aber er ignorierte sie. Stella schluckte und trat auf die Frau zu. „Kann ich wenigstens ihre Augen schließen? Sie zudecken?“

„Lass sie in Ruhe.“ Der über sein Gesicht gebundene Schal dämpfte seine Stimme, aber er benutzte nicht den Stimmmanipulator. Stella beschloss, zu versuchen, ihn zum Reden zu bringen. Wenn er jemand war, den sie kannte...

Weil sie es herausgefunden hat - er *musste* es sein. Um durch die Sicherheitsvorkehrungen zu kommen, die Cosimo in Lakewood getroffen hatte, um genau zu wissen, wo sich ihr Anhänger befand und um hineinzukommen...

„Können wir reden?“ Stella beschloss, ihren Reckless Charme einzuschalten - das könnte schon nicht schaden? Sie wandte ihre Augen von den Beweisen des Schadens, den sie erleiden *könnte* – der toten Frau – ab und setzte sich auf einen anderen Stuhl. „Was machen wir hier? In deinen Briefen stand... wir würden zusammen sein und das sind wir und was jetzt?“

Sie hat die Drohungen in seinem letzten Brief bewusst nicht anerkannt. Ihr Entführer setzte sich ihr gegenüber und starrte sie mit diesen unnatürlich blauen Augen an, sagte aber nichts. Stella versuchte es erneut. „Schau, ich habe dein Gesicht nicht gesehen. Du könntest das alles jetzt beenden und mich einfach gehen lassen. Oder mir sagen, was du von mir willst und wir können versuchen, dass es funktioniert.“ Sie verbarg ihr Gefühl der Übelkeit bei dem Gedanken, mit diesem Monster intim zu sein.

Er hob den Stimmmodifikator an seinen Mund. „Du lügst. Du willst mich nicht. Bitte beleidige nicht meine Intelligenz.“

Stella seufzte. „Aber... warum bin ich hier?“

„Um zu sterben.“

Stella behielt ihre Gelassenheit. „Aber warum? Was habe ich dir je angetan?“ Sie fluchte schweigend, als ihre Stimme brach. „Warum musstest du Biba töten?“

„Was kümmerst du dich um sie?“

„Sie war meine Freundin."

Er lachte sarkastisch. „Die Art und Weise, wie du sie behandelt hast, war nicht freundschaftlich."

Also war er ihnen bekannt. „Interessiert dich Biba? Interessiert es dich, dass du ein süßes Mädchen ermordet hast?"

„Ich habe es genossen."

Oh, lieber Gott... er stand auf und schaltete den Fernseher ein. „Du musst das sehen."

Stella war erschrocken, Cosimo vor einer Journalistenbank mit dem FBI-Agenten an seiner Seite und Lars zu sehen. Er sah erschöpft und gezeichnet aus. Stella sah das Logo „Aufgenommen" in der Ecke des Bildschirms. Sie versuchte, sich auf das zu konzentrieren, was Cosimo sagte.

„Bitte, wer auch immer du bist... du hast bereits eine Person getötet. Das muss jetzt aufhören. Bringen Sie Stella unversehrt zu uns zurück und wir werden alles tun, was wir können, um Ihnen die Hilfe zu bringen, die Sie brauchen."

„Er lügt", sagte ihr Entführer.

Stella ignorierte ihn. *Gott*. Cosimo sah verzweifelt aus und Stella fühlte sich schuldig - er hatte Biba offensichtlich sehr geliebt.

Sie wurde wütend. „Warum zeigst du mir das? Was wolltest du erreichen?"

Er sagte nichts und, frustriert, stand Stella auf. „Lass mich gehen. Jetzt. Das ist Wahnsinn."

Sie hatte nur einmal Zeit zu blinzeln, bevor er auf ihr war.

21

KAPITEL EINUNDZWANZIG

Biba beobachtete, wie Cosimo mit der Presse sprach. Seit ihre Eltern sie besucht hatten, war sie nervös, kurz davor, zusammen zu brechen. Ihr Körper schmerzte und sie fühlte sich eine Million Jahre alt. Mit anderen Leuten zusammen zu sein, war für sie irritierend - außer bei Cosimo. Sie wollte, dass all das vorbei ist, damit Stella in Sicherheit ist und Biba diese Schuld nicht mit sich herumtragen musste. Wenn sie und Stella nur nicht gestritten hätten... wäre Stella in dieser Nacht beim Feuerwerk gewesen und Rich wäre am Leben geblieben.

Cosimo war mit den Journalisten beschäftigt und Biba schlüpfte in die Lounge des Hotels. Sie rief Reggie an und wollte die Stimme ihres alten Freundes hören.

„Hey, Boo."

„Hey, Reggie... wie geht es dir? Wie geht es Mary?"

„Mir geht es gut... aber Mama liegt im Zucker-Koma."

Biba lachte, ihr Körper entspannte sich. „Im Ernst, wie geht es der Lungenentzündung?"

Reggie seufzte. „Es ist nicht gut, aber du kennst Mom, sie ist eine Kämpferin. Gibt es Neuigkeiten von Stella?"

„Nein."

„Ich habe die Pressekonferenz gesehen... ich bin mir nicht sicher, ob es etwas bringen wird."

„Nein, wir auch nicht, aber wir alle fühlen uns so hilflos, Reg. Wir haben nur keine Ahnung, was wir tun sollen. Wenn er um ein Lösegeld bitten würde, wäre das etwas, aber es ist, als wären sie in Luft aufgelöst worden. Sie könnte schon tot sein..." Ihre Stimme zitterte und sie fing an, leise zu weinen.

„Oh, Baby." Reggies Stimme war leise. „Weine nicht."

„Ich wusste bis jetzt nicht, dass ich sie so lieb hab", schluchzte Biba. „Sie ist eine Nervensäge, aber ich liebe sie, als wäre sie meine Schwester. Ich kann es nicht ertragen, an sie zu denken, verängstigt und allein. Wer weiß, was das Arschloch mit ihr macht. Stella ist nicht so hart, wie sie angibt."

Es herrschte eine lange Stille am Ende des Telefons. „Liebling... Ich kenne dich. Du gibst dir selbst die Schuld und das ist nicht fair. Woher wolltest du das wissen?"

„Ich hätte härter kämpfen können."

„Er hat dich erstochen, Biba... niemand hätte härter kämpfen können."

Biba konnte ihre Tränen nicht aufhalten. „Reg..."

„Schau... willst du hierher kommen? Für ein paar Tage? Um von allem wegzukommen?"

Plötzlich war das alles, was sie tun wollte. „Ich rede mit Cos."

„Ich kann dich jederzeit abholen."

WÄHREND BIBA nicht von Cosimo weg sein wollte, wollte sie von Tacoma weg und Cosimo stimmte ihr zu. „Ich will, dass du nicht in Gefahr bist, Baby. Ich vertraue Reggie, dass er dich beschützt, während wir das alles klären."

Sie waren allein in ihrer Hotelsuite, spät am Abend nach einem Tag der Presse und in der Nähe anderer Leute; sie waren beide froh über die Zeit allein. Cosimo streichelte ihr Gesicht. „Du siehst aus, als hättest du Schmerzen."

„Ein wenig. Der Arzt sagte, es wäre schmerzhaft, wenn ich heile.

Ich wünschte nur... Ich möchte dir nahe sein, Cosimo, besonders jetzt und ich fühle mich, als ob mein Körper das aufhält."

Cosimo küsste sie. „Weißt du, es gibt viele Dinge, die wir tun können, die deine Wunden nicht belasten."

Biba lächelte. „Zeig sie mir."

Er zog sie langsam aus und küsste jedes Stück freiliegender Haut, seine Lippen zart an ihrem Körper. Seine starken Finger streichelten die Länge ihres Körpers, streichelten ihre Brustwarzen, machten sie steif und so empfindlich, dass sie es kaum ertragen konnte.

Cosimo drückte sanft ihre Beine auseinander und bewegte sich über ihren Körper, um ihren Kitzler in seinen Mund zu nehmen. Biba stöhnte leise, als köstliche Empfindungen ihre Sinne überfluteten - dieser Mann war ein Experte, daran bestand kein Zweifel. Er neckte und schlug seine Zunge um die empfindliche Knospe, bis sie schrie, hart kam und ihr Körper zitterte. Ein grinsender Cosimo bewegte sich nach oben, um ihren Mund zu küssen. „Siehst du?"

Biba, mit einem feinen Glanz von taufrischem Schweiß auf ihrem Gesicht, nickte. „Ich bin dran, dich zu befriedigen."

Sie griff nach unten, um seinen riesigen, pochenden Schwanz in ihre Hände zu nehmen und streichelte die heiße Länge davon über ihre Oberschenkel. Eine Hand massierte seine Eier, als sie ihre andere Hand auf und ab bewegte und den Druck und die Geschwindigkeit erhöhte, bis Cosimo stöhnte und sein Schwanz zitterte und heißen, klebrigen Samen auf ihre Haut pumpte. Sie küssten sich leidenschaftlich, beide wollten mehr, wussten aber, dass sie es nicht riskieren konnten.

Sie streichelten und erkundeten stundenlang die Körper des anderen, bis sie völlig erschöpft einschliefen. Am Morgen wurden sie von einem aufgeregten Lars geweckt, der ihnen sagte, dass das FBI eine Spur hatte.

22

KAPITEL ZWEIUNDZWANZIG

Sie saßen alle im Konferenzraum des Hotels und hörten die Funkkommunikation des FBI-Agenten über ein Soundsystem, das sie eingerichtet hatten, damit sie die Operation verfolgen konnten. Biba saß bei Cosimo, ihre Hand umklammerte seine, ihr Herz schlug wild in ihrer Brust. Zu wissen, dass sie Stella bald, vielleicht, zurückbekommen würden, machte sie krank vor Hoffnung.

Bitte, bitte, bitte lass sie in Ordnung sein... Biba schwor allen ihren Göttern, dass, wenn sie Stella zurückbringen würden, sie nie wieder mit ihr streiten würde. Beide würden dadurch verändert, aber sie war entschlossen, sie zum Besseren zu ändern - beide.

Luke Harris nickte ihnen zu, als er in den Raum kam. „Jeden Moment werdet ihr hören, wie der Leiter seine Männer in Position bringt."

„Wo sind sie?""

„Rainier - eine Hütte in der Nähe des Nisqually-Eingangs zum Park."

Biba betrachtete den Agenten. Wenn er Stella sicher zurückbringen würde, würde sie jeden negativen Gedanken, den sie je über ihn hatte, zurücknehmen. „Wie haben Sie sie gefunden?"

„Es ist wichtig zu sagen, dass wir sie nicht gefunden haben, wir arbeiten nur an einem Tipp. Ich will keine falschen Hoffnungen wecken, aber das ist die beste Spur, die wir je hatten."

„Von einem Tipp?"

„Ein anonymer Anruf von jemandem, der auf dem Berg wohnt. Er sagte uns, er hätte etwas Verdächtiges gesehen - eine Frau, die mit einem Mann außerhalb einer der Kabinen kämpfte, in der Nacht, als Ms. Reckless entführt wurde."

„Und es hat so lange gedauert, bis er angerufen hat?" Cosimos Stimme enthielt all die Skepsis, die Biba empfand. Luke Harris zuckte mit den Achseln und Biba versuchte, ihn nicht anzufahren. Er war wirklich das *Letzte.*

„Also hat der Anrufer vielleicht gelogen? Der Anrufer hätte der echte Mörder sein können, der euch aus dem Konzept bringt?" Biba's Stimme war kalt, aber wieder zuckte Harris von ihrer Frage weg.

„Wir glauben nicht, dass das der Fall ist", sagte er, ein selbstgefälliges, herablassendes Lächeln auf seinem Gesicht. Biba wollte ihn schlagen. Stattdessen beugte sie sich zu Cosimo hinüber und flüsterte ihm ins Ohr.

„Das wird nicht das sein, was er denkt. Ich glaube nicht, dass das echt ist."

Cosimo studierte sie. „Ich hoffe, du irrst dich, aber ich stimme zu. Etwas ist verdächtig."

Als sie warteten, um zu hören, was passiert war, klopfte es an der Tür und Reggie steckte seinen Kopf hinein. „Darf ich reinkommen?"

„Natürlich."

Er umarmte Biba und klopfte Cosimo auf den Rücken. „Wie läuft es? Channing hat mir unten gesagt, dass sie eine Spur haben."

Biba schoss ihm einen Blick zu. „Ja. Agent Harris ist sich *sicher*."

Reggie verstand sofort. „Ah."

Zehn Minuten später bestätigten sich die schlimmsten Befürchtungen von Biba. Der Tipp entpuppte sich als Fehlalarm - das SWAT-Team stürmte ein sehr schockiertes älteres Paar, das ein Puzzle machte. Agent Harris sah verzweifelt aus. „Nun, offensichtlich werden wir..."

Aber Biba hatte genug. Sie stand auf und stolzierte aus dem Konferenzraum, gefolgt von Cosimo und Reggie. Biba dampfte vor Wut, als sie in ihre Suite stürzte.

„Dieses Arschloch", spuckte sie aus, „Er nimmt das nicht ernst. Das ist Stellas Leben, von dem wir hier sprechen."

COSIMO LEGTE seine Arme um sie. „Ich weiß, Snooks." Er sah Reggie an. „Schau, Reg, ich weiß, dass du hier bist, um Biba zu deiner Mutter zu bringen, aber ich will, dass du einen Sicherheitsbeamten mit dir nimmst."

„Kein Problem", sagte Reggie, seine Augen ernst. „Alles, um sicherzustellen, dass Biba sicher ist."

Biba blickte zu Cosimo auf. „Ich weiß nicht, ob ich gehen will. Nichts für Ungut, Reg, aber ich muss bei Cosimo bleiben."

„Nein", sagte Cosimo fest. „Du musst von all dem weg sein, damit du dich erholen kannst. Ich möchte hier bleiben, aber ich werde dir in ein paar Tagen folgen – wenn das in Ordnung ist, Reg?"

„Perfekt. Mamas Hütte hat viel Platz, also werden wir eine tolle Party haben."

Cosimo lächelte. „Danke. Also, Baby, wir werden nicht lange getrennt sein."

Biba war nicht glücklich, aber nickte. „Okay."

Cosimo ging auf die Suche nach Steve, dem Chef des Sicherheitsteams und bat ihn, Biba und Reg zu begleiten: „Lass einfach nicht zu, dass ihnen etwas passiert", sagte er und Steve nickte.

„Werde ich nicht."

„Und ruf mich jede Stunde an, um mir ein Update zu geben... okay?"

„Klar, Boss."

Bevor Biba mit Reggie ging, nahmen sie und Cosimo sich etwas Zeit für sich. Biba drückte ihre Lippen an seine, küsste ihn und murmelte: „Ich liebe dich so sehr, Cosimo DeLuca."

„Heirate mich, Biba May." Cosimo streichelte ihr Haar von ihrem Gesicht zurück. „Ich weiß, dass es verrückt ist. Ich weiß, dass wir so viel voneinander lernen müssen, aber ich will nicht länger warten. Wenn das alles vorbei ist, wenn Stella wieder sicher bei uns ist, heirate mich."

„Ja", sagte Biba ohne zu zögern, „ja, mein Liebling Cosimo, ich werde dich heiraten. Du hast Recht. Lass uns nicht länger warten."

Cosimo lächelte und es erhellte sein ganzes Gesicht. „Ich kann es kaum erwarten, dein Mann zu sein."

„Ich auch nicht, deine Frau zu werden." Sie zögerte ein wenig. „Glaubst du, Nicco würde es stören?"

„Lass uns ihn anrufen und fragen."

Als sie ihn via Video anriefen, konnten sie erkennen, dass Nicco überglücklich war. „Gute Arbeit, Pa", sagte er und brachte Biba zum Lachen. „Ich muss dich nicht Mom nennen, oder?"

„Oh Gott, nein", Biba machte ein Gesicht, „Wie wäre es, wenn wir einfach nur Besties wären?"

„Das gefällt mir. Also, wann ist der große Tag?"

„Noch unklar. Wenn dieser ganze Albtraum aufgeklärt ist, Nic." Cosimo lächelte seinen Sohn an.

„Ich möchte in Venedig heiraten", sagte Biba plötzlich, „im Sommer, wir vier zusammen. Oder fünf, wenn wir Reggie mit einbeziehen - ich brauche einen Braut... Jungfern."

Sie lachten alle und Cosimo sah gerührt aus. „Dann also Venedig..."

Er küsste Biba und Nicco protestierte. „Gott, nehmt euch ein Zimmer."

Als Reggie sein Auto vorfuhr und mit Steve plauderte, küsste Cosimo Biba zum Abschied. „Ich werde glücklicher sein, wenn ich weiß, dass du nicht in der Schusslinie stehst. Ich liebe dich."

. . .

Auf der Fahrt zur Hütte von Reggies Mutter in den Olympiabergen plauderten sie über nichts Besonderes, Steves Anwesenheit im Auto hinter ihnen im Bewusstsein.

„Ich wünschte nur, das wäre vorbei", sagte Biba, „Ich denke immer wieder daran, wie verängstigt Stella sein muss."

„Denk nicht darüber nach", sagte Reggie, „Ich wette, deine Vorstellungen sind schlimmer als die Realität."

Biba runzelte die Stirn. „Alter, hast du den Mist gelesen, den er ihr geschickt hat? Der Typ ist ein Verrückter."

„Ich weiß, aber was ich sagen will, ist, dass er vielleicht, sobald er sie wirklich hat, kneift."

„Kneift? Reg... dieser Mann hat siebenmal auf Rich gestochen. Und zweimal auf mich Ich bezweifle, dass er *kneift*." Sie war jetzt wütend, verblüfft über die mangelnde Sensibilität ihres besten Freundes.

„Ich will nicht streiten, Mäuschen."

Sie fuhren eine Weile in unangenehmer Stille weiter, Biba fragte sich, ob sie die richtige Entscheidung getroffen hatte. Jetzt, als sie von Cosimo wegfuhr, fühlte sie sich noch verletzlicher.

Als sie auf den Ring fuhren, sah Reg plötzlich auf seine Messgeräte. „Scheiße."

Ihre Aufmerksamkeit wurde erregt. „Was ist?" Sie bemerkte, dass das Auto langsamer wurde. Draußen kam der Schnee schwer herunter, als Reg die Scheuklappen anlegte und sich zur Seite bewegte, wenn die Straße.

„Das Auto spinnt rum. Warte..."

Er hielt das Fahrzeug an und stieg aus, ging nach vorne und öffnete die Haube. Biba sah sich um und sah, wie Steve sich hinter ihnen zurückzog. Er stieg aus dem Auto und ging um ihr Auto herum. Er klopfte an ihr Fenster und sprach: „Bist du okay?" Biba nickte und gab ihm die Daumen hoch und Steve fuhr fort, mit Reggie zu sprechen.

Biba wartete, während die beiden Männer einen Blick auf das Auto warfen und zuckte leicht zusammen, als die Haube wieder nach unten geschlagen wurde. Biba beobachtete sie beim Reden, aber als Steve sich dann abwandte, änderte sich alles.

Entsetzt beobachtete Biba, wie Reggie eine Pistole aus seiner Jacke zog und sie an der Rückseite von Steves Kopf hielt. „Nein!“, schrie Biba, aber es war zu spät.

Reggie schoss Steve in den Kopf und der Bodyguard fiel um wie ein Stein. Biba konnte nicht glauben, was sie sah. Sie kratzte an der Tür des Autos und taumelte hinaus und starrte ihren besten Freund an.

Reggie lächelte sie an. „Lauf nicht weg, Biba. Ich will dich hier nicht töten.“

Ihre Beine würden sich nicht bewegen, obwohl jede Zelle in ihrem Körper ihr sagte, sie solle laufen. Reggie war blitzschnell an ihrer Seite, nahm ihren Oberarm und zog sie zurück zum Auto. Er drückte die Waffe hart an ihren verwundeten Bauch und sie keuchte nach dem Schmerz. „Also, im Handschuhfach, findest du ein paar Handschellen. Ich möchte, dass du deine linke Hand fesselst und sie um die Rückseite deines Sitzes legst. Wenn du irgendwas Dummes machst, leere ich das ganze Ding in dir.“

Passierte das wirklich? Ihr bester Freund? Ihr Reggie? War er verrückt geworden?

Biba tat, was ihr gesagt wurde und Reggie fesselte ihre rechte Hand an ihre linke an. Sie war gefangen.

Reggie stieg wieder auf den Fahrersitz. „Nun, lass uns gehen. Ich weiß, dass sich jemand darauf freut, dich zu sehen.“

23

KAPITEL DREIUNDZWANZIG

Cosimo konnte das Gefühl nicht loswerden, dass etwas nicht stimmte. Er suchte Lars auf, der an einem der Tische in der Lounge arbeitete. Lars lächelte ihn an, als er sich hinsetzte.

„Biba ist gut davongekommen?"

Cosimo nickte. „Ja, aber jetzt denke ich, ich hätte sie nicht aus den Augen lassen sollen."

„Es ist die Ungewissheit", sagte Lars mit einem Achselzucken. „Wir spüren sie alle seit Stella. Sie ist bei Reggie und Steve, die eher sterben würden, bevor ihr etwas zustößt."

Cosimo seufzte. „Du hast Recht. Gibt es Neuigkeiten?"

„Nicht über Stella, aber Richs Familie verklagt das Studio."

„Nun, ich kann es ihnen nicht verübeln. Sag ihnen, dass ich sie bei ihrer Klage unterstützen werde."

„Sie verklagen dich auch", sagte Lars mit einem halben Lachen und Cosimo schnaubte.

„Auch das kann ich ihnen nicht verübeln. Sag ihrem Anwalt, dass ich das regeln werde."

„Siebzehn Millionen?"

„Klar."

Lars lachte wieder. „Oh, wär ich nur Millionär."

Cosimo lächelte, aber seine Augen waren ernst. „Ich bin verantwortlich, Lars. Wenn ich der Regisseur eines Filmsets bin und so etwas passiert, bin ich verantwortlich. Ich hätte die Sicherheit erhöhen und nach einem anderen FBI-Agenten fragen sollen - so viel mehr."

„Alter, du hattest eine Armee, natürlich relativ gesehen."

Cosimo rieb sich das Gesicht und zog dann sein Handy aus der Tasche. „Steve sollte sich jede Stunde melden."

„Wie lange sind sie schon weg?"

„Vierzig Minuten."

Lars nahm das Telefon von Cosimo. „Du wirst dich noch selbst verrückt machen. Komm schon, Mann, entspann dich ein wenig. Es gibt nichts mehr zu tun."

„Vielleicht sollte ich ihnen bis zur Hütte folgen."

„Oh Gott, Cos." Sifrido kam hinter ihnen her und rollte die Augen. „Immer der Kontrollfreak. Entspann dich, Bruder."

Er fiel in einen Sessel und tauschte mit Lars einen Blick aus, den Cosimo nicht verstand. Lars nahm sein Telefon ab. „Ich muss einen Anruf machen. Bin gleich wieder da."

Cosimo wartete, bis Lars gegangen war und sah dann Sifrido an. „Was ist?"

Sifrido zögerte. „Ich bin mir nicht sicher, ob dies der richtige Zeitpunkt ist, um das zur Sprache zu bringen. Andererseits glaube ich nicht, dass es einen guten Zeitpunkt gibt, um dieses Gespräch zu führen."

„Hau raus, Frido."

Sifrido straffte seine Schultern und nickte. „Es geht um Grace... und mich. Und eine Nacht vor sechzehn Jahren."

Er brauchte nicht mehr zu sagen, aber Cosimo wettete um sein ganzes Geld, dass er nicht die Reaktion erwartete, die Cosimo ihm gab. „Oh, Gott sei Dank."

Sifridos Augenbrauen schossen nach oben. „Was?"

Cosimo fing an zu lachen. „So seltsam das auch klingen mag... Ich bin froh. Ich bin froh, dass du es bist, Frido. Ich hatte immer vermutet, dass du und Grace sich zueinander hingezogen fühlten, ich wusste nur nicht, dass ihr danach gehandelt habt. Aber, Gott, ich bin erleichtert. Zu wissen, dass Nicco... du weißt schon."

Sifrido war ungläubig. „Du bist damit einverstanden, den Sohn eines anderen Mannes aufzuziehen?"

Cosimo lächelte. „Ich habe nichts dergleichen getan. Ich habe meinen Sohn großgezogen. Nicco ist mein Kind, unabhängig davon, wessen DNA er teilt. Wenn mich die letzten Wochen etwas gelehrt haben, dann ist es, dass Familie nicht bedeutet, Blut zu teilen. Es ist tiefer als das. Du bist meine Familie, Frido, also die Tatsache, dass du und Grace... es ist mir egal. Nicco ist mein Sohn und ich liebe ihn mehr als alles andere."

„Abgesehen von Biba?"

„Gleichermaßen wie Biba. Ich sage nicht, dass es kein Schock war, herauszufinden, dass er nicht mein biologischer Sohn war, aber bei Gott, Frido, ich könnte nicht stolzer auf Nicco sein und den Mann, der er wird."

Sifrido fuhr sich mit der Hand durch die Haare und glaubte immer noch nicht, was geschah. „Es tut mir leid wegen Grace. Es war ein Moment der Schwäche und wir beide fühlten uns danach schrecklich. Ich glaube nicht, dass sie von Nicco wusste. Ich glaube wirklich, dass sie dachte, dass Nicco dir gehört."

Cosimo stand auf und umarmte seinen Freund. „Willst du es Nicco sagen?"

„Ich weiß nicht. Würde er es lieber nicht wissen?"

Cosimo dachte über die Frage nach. „Ich werde ihn fragen."

ER RIEF Nicco ein wenig später an und erzählte ihm, dass er herausgefunden hatte, wer sein Vater war.

„Ja, du", sagte Nicco, „aber ich sollte wohl wissen, wessen DNA ich habe."

Cosimo war erleichtert, als Nicco die Nachricht gut aufnahm. „Besser als erwartet", sagte Nicco, „zumindest ist Frido ein Freund."

„Das ist es, was ich gesagt habe."

„Obwohl ich ihm einfach eine reinhauen muss, weil er was mit meiner Mutter angefangen hat."

Cosimo kicherte, als er wusste, dass Nicco nur Spaß machte. „Ich schätze, das ist dein Vorrecht."

„Wie geht es Biba?"

Sofort kehrte das Gewicht in Cosimos Brust zurück. „Auf dem Weg zur Hütte von Reggies Mutter." Er checkte seine Uhr. „Und ihr Sicherheitsbeamter ist spät dran. Nic, ich muss los."

„Klar, Dad. Grüße Beebs von mir."

„Das werde ich."

Cosimo beendete den Anruf und wählte Steves Nummer. Selbst wenn er fahren würde, sollte Steve die Freisprecheinrichtung haben, aber das Telefon klingelte und klingelte. Nach zehn Klingeln, ging es an die Voicemail.

Es ist okay, keine Panik, alles ist in Ordnung. Er holte einen tiefen Atemzug Luft und sagte sich, er solle sich entspannen.

NACH DREI STUNDEN wusste er es jedoch. Etwas stimmte nicht. Er ging los, um Lars und Channing zu finden. „Leute", sagte er mit grimmiger Stimme. „Ich rufe die Polizei. Ihr beide - geht ans Telefon und findet alles über Reggie Quinn heraus, was ihr könnt. Ich glaube, unser Mörder hat sich die ganze Zeit vor unserer Nase versteckt."

24

KAPITEL VIERUNDZWANZIG

Reggie schob Biba, immer noch gefesselt, in die Hütte und sie wimmerte, als sie sah, wie Mary Quinns Körper im Stuhl hing. „Gott, was hast du getan?“ Ihr Flüstern war voller Trauer. Mary? Es bestand kein Zweifel daran, was mit ihr passiert war, als sie das klaffende Loch in ihrem Hals sah.

Reggie lächelte. „Mama ist jetzt in Frieden. Sie war wirklich krank, Biba.“

Ihre Augen verengten sich. „Wie ihr Sohn.“

Er lachte. „Verliebt zu sein ist keine Krankheit, Biba, das solltest du wissen. Meine Liebe zu Stella ist echt, ein Traum und jetzt wirst du diesem Traum helfen, wahr zu werden.

Er löste ihre Handschellen, hielt sie aber fest, als er sie zur Rückseite der Hütte führte. Er schloss eine Tür auf und schob sie hinein.

Biba sah Stella zur gleichen Zeit, als ihre Chefin sie sah. Stella weinte und die beiden Frauen stürzten gegenseitig auf sich zu und umarmten sich stark. „Ich dachte, du wärst tot. Ich dachte, du wärst tot“, war alles, was Stella durch hysterische Schluchzer sagen konnte.

Biba hielt sie so fest, dass sie spürte, wie ihre Arme taub wurden. „Es ist okay, es ist okay, ich bin hier.“

„Wie süß.“

Stella blickte Reggie anklagend an. „Du hast mir gesagt, dass du sie getötet hast."

Reggie zuckte mit den Schultern. „Semantik. Es wird bald wahr sein."

Biba konnte nicht glauben, was los war. Reggie? Ihr bester Freund? „Du hast mich erstochen."

Er lächelte. „Das habe ich. Ich hatte nicht geplant, jemanden zu verletzen, aber zuerst stand Rich und dann du mir im Weg."

„Er sagte mir, dass es ihm Spaß gemacht hat, dich zu erstechen." Stella hielt Biba's Hand. „Nicht wahr, du kranker Wichser?"

Reggie lachte. „Das habe ich, das gebe ich zu. Und es ist wahr, als ich mein Messer in deinen weichen Bauch versenkt habe, Biba, bin ich hart geworden. Deshalb werde ich es wieder tun, nur diesmal wird es kein Happy End für dich geben."

„Fass sie nicht an!" Stella zerrte Biba hinter sich. Biba war nur taub.

„Was glaubst du, warum ich sie hierher gebracht habe, Stella? Sie ist unsere Versicherung. Wir schaffen es mit ihr bis zur kanadischen Grenze, dann steche ich sie ab und lasse ihren Körper irgendwo zurück, um die FBI-Agenten von der Spur abzulenken. Wir werden fort sein, bevor sie es merken. Und während sie bei uns ist, wird Cosimo alles tun, was ich ihm sage."

Biba hatte nicht einmal Angst. Reggie wollte sie umbringen. Er wollte ihren Mord dazu benutzen, ihm bei der Flucht mit Stella zu helfen und Cosimo zu quälen. Arschloch. Sie hatte nicht die Absicht, leise zu gehen.

„Du musst mich zuerst töten", knurrte Stella ihn an, aber Biba schüttelte den Kopf.

„Er wird es nicht tun. Er hat nicht den Mut dazu." Sie stellte sich ihrem alten Freund gegenüber, dem Mann, von dem sie so lange gedacht hatte, dass er die einzige Person war, der sie vertrauen konnte.

Reggie beobachtete sie. „Weißt du, du hast dich verändert, seit du angefangen hast, DeLuca zu ficken. Ich muss zugeben, ich war überrascht. Jahrelang hast du mir erzählt, wie du als Kind missbraucht wurdest, wie unwichtig Sex war, wie du nie einem Mann vertrauen würdest. Dass du innerlich gebrochen bist. Dann taucht der stattliche reiche Italiener auf und du spreizt deine Beine so weit, wie es geht."

„Fick dich." sagte Biba und ignorierte Stellas Wimmern der Angst. „Du hast keine Ahnung, was wahre Liebe ist. Das ist es nicht. Jemanden gefangen zu halten, ihn zu bedrohen, Aggressionen. Also, wer ist der dysfunktionale von uns beiden, Reg?"

„Ich werde es genießen, dich zu töten, Biba."

„Du wirst keine Chance bekommen, Arschloch. Jetzt solltest du besser sofort gehen, denn ich bin in der Stimmung, dir in den Arsch zu treten."

Reggie lachte freudlos und packte sie dann und verdrehte seine Finger in ihrem Haar, als er das Messer an ihre Kehle hielt. Biba stampfte auf seinen Fußrücken und ignorierte das Messer. Reggie brüllte vor Schmerz und ließ sie frei, aber er schaffte es trotzdem, mit seinem Messer aufzuschlagen und schnitt sie durch ihren Rücken direkt über ihrem Gesäß. Biba keuchte, Stella schrie und Reggie schlug seinen Ellbogen in Biba's Kopf und alles wurde dunkel.

Ausnahmsweise einmal war Agent Luke Harris nicht eingebildet. „Wir haben Männer auf dem Weg zur Hütte, aber da oben tobt ein ziemlich heftiger Sturm. Wir können nicht hinfliegen."

„Nein. Nein, du gehst dort egal wie, so schnell wie du kannst", schrie Cosimo, sein Schrecken machte ihn fast wild. „Er wird sie beide töten."

Sifrido, Lars, Channing und Franco waren gleichermaßen besorgt. „Schau, wenn du keine Leute rausschickst, gehen wir", sagte Sifrido. Harris hielt seine Hände hoch.

„Nein, ihr hört nicht zu. Wir schicken Leute raus, viele von ihnen, aber ich kann das Wetter nicht kontrollieren. Wenn wir Hubschrauber da hoch schicken, werden sie abstürzen. Mehr Menschen werden sterben. Ich schwöre dir, wir haben eine Armee auf dem Weg zu den Olympics. Quinn wird nicht weit kommen."

Cosimo fuhr mit den Händen durch seine dunklen Locken und schloss die Augen. „Ich habe sie ihm gegeben."

„Woher zum Teufel willst du das wissen? Reggie hat uns alle reingelegt."

Franco nickte. „Und schau... wir wissen immer noch nicht sicher, ob etwas nicht stimmt. Es könnte sein, dass der Sturm Steves Handyservice ausgeschaltet hat."

Etwa eine Stunde lang behielt Cosimo das in seinem Kopf, um zu verhindern, dass er verrückt wird. Aber seine Entschlossenheit war zerbrochen, als ein blasser, angeschlagen aussehender Harris sie einholte. „Wir haben Steve Kimmel's Leiche gefunden. Ihm wurde in den Kopf geschossen und Reggies Auto ist weg."

Cosimo vergrub seinen Kopf in seinen Händen und als Harris sie verließ, um sich ein Update zu holen, blickte er in Sifridos besorgtes Gesicht. „Ich muss dorthin, Frido. Ich muss sie retten... *beide*."

Sifrido zögerte eine Sekunde lang. „Mein Auto steht draußen. Lass uns gehen."

25

KAPITEL FÜNFUNDZWANZIG

Biba wachte auf, fühlte sich benommen und übel. Stella hielt ihren Kopf auf ihrem Schoß. „Biba?" Ihre Stimme war ein Flüstern. Biba erkannte, dass sie sich in einem Fahrzeug befanden, das sich bewegte.

„Wo sind wir?"

„Auf dem Weg nach Kanada, glaube ich. Ich bin mir nicht sicher. Nein, nicht zu viel bewegen. Der Schnitt auf deinem Rücken blutet wie verrückt; ich kriege ihn nicht dazu aufzuhören."

Scheiße. Das bedeutete, dass der Schrägstrich des Messers zu tief gegangen war, wahrscheinlich hat er eine Niere angeritzt. Sie verblutete langsam zu Tode. Biba schluckte einen Mund voller Erbrochenem.

„Stella... komm näher."

Stella beugte ihren Kopf zu Biba's und Biba fühlte Stellas Tränen auf ihrer Wange. „Weine nicht, Stel. Ich werde dich hier rausholen."

Stella lachte seltsam. „Beebs, du kannst nicht mal laufen."

„Ich kann... einfach... Ich werde auf Reggie losgehen und ihn von der Straße drängen. Ich möchte, dass du dich hier drin so fest hältst, wie du kannst. In dem Moment, in dem wir zum Stillstand kommen, steigst du aus und *rennst*. Nicht anhalten, nur so weit wie möglich kommen... ein Auto anhalten."

„Du bist im Delirium, Baby. Du schaffst es nicht. Wir werden es nicht schaffen."

„Es ist unsere einzige Chance."

„Er hat eine Waffe... er wird dich erschießen."

Biba lachte leise. „Ich sterbe sowieso. Das Mindeste, was ich tun kann, ist, in einem Feuerwerk der Herrlichkeit auszugehen."

Stella vergrub ihr Gesicht in Biba's Schulter und schluchzte. „Es tut mir so leid, wie ich dich behandelt habe, Biba... die Wahrheit ist, du bist die einzige Person auf dieser Welt, der ich vertraue und eine der wenigen, die ich wirklich liebe. Du hast mich schon immer unterstützt. Immer. Aber ich kann dich nicht hier lassen, um für mich zu sterben. Das wird nicht passieren. Wir machen das zusammen oder gar nicht."

„Frauenpower." Biba's Stimme wurde schwächer.

„Darauf kannst du deinen Arsch wetten. Und..."

Ihre Worte wurden abgeschnitten, als der Van zum Stehen kam und Reggie ausstieg. Sie hörten, wie er die Hintertüren öffnete. Ihnen würde die Zeit davonlaufen.

„Tu so, als wäre ich tot", flüsterte Biba eindringlich. „Schrei, mach einen Aufstand. Das gibt mir Zeit."

Stella nickte und ließ einen ohrenbetäubenden Schrei los. Biba versuchte, nicht zu zucken, als ihre Trommelfelle protestierten. Ein Rausch von eiskalter Luft.

„Sie ist tot, du Arschloch! Biba ist *tot*! Sie verblutete, während du... Alter, was zum Teufel ist los mit dir?"

Es herrschte Stille. Biba konnte nur Stellas schweres Atmen hören. Dann... „Sie ist tot?"

Schwache Hoffnung entzündete sich in Biba – Reggie klang schockiert, sogar ein wenig traurig.

„Wow, er rafft's endlich", sagte Stella sarkastisch und wiegte Biba's Kopf in ihren Armen. „Sie war deine beste Freundin, Reggie und du hast sie getötet. Wie fühlst du dich dabei, huh?"

Dann kicherte Reggie und Biba's Hoffnung löste sich auf. „Nun, ich schätze, es erspart mir, sie später zu töten. Lass ihren Körper. Sie folgen uns, sie werden sie finden. Ich wünschte, ich könnte bleiben, um DeLucas Gesicht zu sehen."

„Nein." Biba's Flüstern war eindringlich. „Lass dich nicht von ihm mitnehmen."

„Ohne sie gehe ich nirgendwo hin."

Biba fühlte, wie Stella von ihr weggezogen wurde. Nein... nein... Als sie hörte, wie Reggies Stimme entfernt wurde, zog sie sich hoch, ihre Kleidung klebte vor Blut. Sie taumelte zum Fahrersitz des Lieferwagens und suchte nach allem, was sie als Waffe benutzen konnte. Unter dem Beifahrersitz fand sie ein Brecheisen. Besser als nichts. Biba ignorierte die brennenden Schmerzen in ihrem Rücken und taumelte hinaus in den Sturm, um Reggie und Stella zu folgen.

Cosimo und Sifrido fuhren schweigend, beide nervös, als der Sturm um sie herum immer schlimmer wurde. Zwei Stunden in dem Park und sie sahen den Van am Straßenrand. „Wo zum Teufel ist das FBI, wenn wir das finden können?"

„Es könnte nichts wichtiges sein", warnte Sifrido, als sie aus dem Auto stiegen, aber als sie den Van inspizierten, sah Cosimo, wie er hinten mit Blut überflutet war und auf dem Boden: ein kleines Armband mit Anhängern. Er griff hinein und hob die zarte Goldkette mit dem einzelnen Diamanten auf.

„Sie sind es", sagte er mit langweiliger Stimme. „Ich habe das Biba zu ihrem Geburtstag geschenkt."

Sifrido klopfte sich an die Schulter. „Ich glaube, sie sind in diese Richtung gegangen."

Cosimo bewegte sich nicht. „'Frido, sieh dir das ganze Blut an. Jemand ist hier draußen verblutet."

„Nicht unbedingt... Denn hier gibt es eine Blutspur. Komm schon."

. . .

Sie fanden Biba, die im Schnee zusammengebrochen war, kaum bei bewusstsein. Cosimo nahm sie in seine Arme und hielt sie fest, während Sifrido ihre Wunden untersuchte.

„Oh Gott, es ist tief. Wir müssen sie zurück in die Zivilisation bringen."

„Nein", stöhnte Biba, „wir sind so nah dran. Sie sind direkt vor mir. Bitte, rette sie... Für mich, Cos, rette sie."

Cosimo zögerte und Biba berührte sein Gesicht. „Das wird alles umsonst gewesen sein, wenn wir es nicht tun." Sie wand sich aus seinen Armen und stand so gut sie konnte. „Mir geht es gut, glaube ich." Sie sah die Skepsis in seinem Gesicht und versuchte zu lächeln. „Okay, tut es nicht, aber scheiß drauf, er wird nicht gewinnen."

„Dann halt dich an mir fest und lass mich nicht los", sagte Cosimo und schob seinen Arm um ihre Taille. „Wenn wir das tun, werden wir es zusammen tun." Sie machten sich langsam auf den Spuren, die Reggie und Stella hinterlassen hatten.

„Er hat eine Waffe. Ich dachte nur, ich erwähne es." Der Blutverlust ließ sie wie betrunken werden. Cosimo lächelte fast.

„Immer hilfreich zu wissen."

Zehn Minuten später stoppte Sifrido sie, legte seinen Finger auf seine Lippen und zeigte nach unten. Sie sahen Farbblitze inmitten der verschneiten Bäume und hörten, wie die Stimme einer Frau zu ihnen zurücktrug.

„Stella macht ihm die Hölle heiß", flüsterte Biba und Cosimo nickte.

„Wenn er denkt, dass das die Hölle ist, wird er herausfinden, wie die Hölle wirklich ist." Er ließ sie auf den Boden sinken, stützte sich gegen einen Baum. „Baby, wir müssen ihn überraschen und so sehr ich dich auch liebe, wir können das nicht tun, wenn wir dich tragen."

Biba nickte. „Ich verstehe schon."

„Ich werde zurück sein, bevor du es merkst." Er drückte seine Lippen an seine. „Mein kleiner Krieger. Ich liebe dich."

„Ich liebe dich auch... sei vorsichtig." Biba lächelte ihn an, dann leuchteten ihre Augen auf. „Ich habe eine Waffe." Sie zog das Brecheisen aus ihrer Tasche. Cosimo streichelte ihr Gesicht.

„Behalte das, nur für den Fall. Wir haben unsere eigenen mitgebracht." Er zeigte ihr die Waffen, die er und Sifrido mitgebracht hatten. Biba nickte.

„Töte diesen Wichser. Er hat Rich und seine eigene Mutter ermordet."

Cosimo nickte, seine Augen glänzten gefährlich. „Keine Sorge... Reggie Quinn wird untergehen."

26

KAPITEL SECHSUNDZWANZIG

Stella kämpfte gegen Reggie, sich nicht mehr um sich selbst kümmernd. Sie war nur entschlossen, dass sie, wenn sie getötet wurde, dieses Arschloch mit in den Tod reißen würde. „Du Stück Scheiße, du hast sie zum Sterben zurückgelassen."

„Ich dachte, du hattest mir gesagt, dass sie tot ist." Reggie grinste. Seine Finger verfingen sich in Stellas blondem Haar und er zerrte sie daran den Hügel hinunter.

„Hurensohn!" Sie trat aus und traf ihn am Knie. Reggie stolperte und zog sie mit sich nach unten, als er fiel.

„Du verdammte Schlampe!" Er schlug sie hart, ließ ihre Ohren rauschen, aber dann hörte sie es. Ein Schuss.

Hoffnung.

Sie blickte auf und sah zwei sehr wütende italienische Männer, die sich auf sie stürzten. Cosimo richtete seine Waffe auf Reggie. „Die Zeit ist vorbei, Quinn."

„Fick dich, DeLuca."

Reggie versuchte, Stella zu greifen, um ihr seine eigene Waffe an den Kopf zu halten, aber Stella hatte wirklich genug. Mit dem Ballen ihrer Hand schlug sie ihn gegen seine Nase. Mit einem Kreischen ließ Reggie die Waffe fallen, aus seiner Nase goss Blut. Stella trat ihn von sich weg und kroch in den Schnee, um zu entkommen. Cosimo nahm sie hoch, als Sifrido seine Waffe auf Reggies Gesicht richtete.

„Ein anständiges Verfahren?“ Er fragte Cosimo und Stella.

„Rich hat kein anständiges Verfahren bekommen.“

„Oder die Mutter dieses Dreckskerls!“ spuckte Stella aus. Sifrido lächelte grimmig.

Reggie fing an zu lachen. „Auch nicht deine kostbare Biba. Ich habe es genossen, sie aufzuschneiden, DeLuca. Ich habe es wirklich, *wirklich* genossen.“

Sifrido schoss ihm ins Gesicht und Reggie fiel. Ruhig wickelte Sifrido Reggies Finger um seine eigene Waffe und feuerte sie in die Bäume. „Cos, geh da rüber und lass es aussehen, als hätte er auf dich geschossen.“

Cosimo tat, was er wollte und dann hinterließen sie Reggies Leiche, damit das FBI sie finden konnte. Die drei eilten zurück zu Biba, die sie alle anlächelte. „Ich liebe euch alle“, sagte sie und klang betrunken. „Ist er tot?“

„Wie ein Dodo.“ Cosimo hob sie in seine Arme. Stella glättete Biba's Haare von ihrem Gesicht weg.

„Ich liebe dich, Beebs.“ Sie ignorierte die erstaunlichen Blicke von Cosimo und Sifrido, aber Biba sah sie und grinste.

„Habt ihr Jungs noch nie ein bisschen Frauenliebe gesehen? Ich liebe dich auch, Stel. Also, kann ich was fragen?“

„Alles, Baby.“ Cosimo küsste ihre Stirn.

Biba lächelte. „Stört es jemanden, wenn ich jetzt ohnmächtig werde?“

27

KAPITEL SIEBENUNDZWANZIG

ier Monate später...

Stella berührte Francos Gesicht. „Thornton, nach allem, was wir durchgemacht haben - den Schrecken, die Qual - jetzt weißt du sicher, dass ich dich von Anfang an geliebt habe."

„Thornton" nickte. „Meine geliebte Lucy... Ich wünschte nur, es hätte nicht deinen Tod gekostet, um mich zu überzeugen... Ich wünschte, ich hätte dich retten können, meine Liebe, meine kostbare Liebe."

„Wir werden bald zusammen sein, mein Liebling... Ich warte auf dich... Ich warte..."

„Und *Schnitt*! Das war's, Leute! Herzlichen Glückwunsch und vielen Dank an alle." Cosimo führte den Applaus, als sich die Besetzung und die Crew endlich entspannen konnten. Sie waren einen Monat lang wieder am Set gewesen, um den Film fertigzustellen und alle waren zurückgekehrt, alle entschlossen, das zu beenden, was sie angefangen hatten. Der Film sollte Rich Furlough gewidmet sein, was für Cosimo ganz klar war, aber er wollte auch Biba ehren. Es war Stellas Idee gewesen, eine Stiftung zu gründen, die jungen Menschen Möglichkeiten innerhalb der Filmindustrie bietet. Die *Biba May Foundation for the Arts*, hatte Stella erklärt, als sie im Krankenhauszimmer von Biba gesessen hatte, die sich von den schrecklichen Ereignissen der letzten Monate erholen musste.

Biba hatte gegen den Namen Einspruch erhoben. „Ich glaube wirklich nicht, dass sie nach mir benannt werden sollte. Wer bin ich schon?“

Cosimo hatte seinen Mund geöffnet, aber Stella hatte war schneller. „Du bist die Heldin, die mich gerettet hat. Du hast dich mehrmals in Gefahr gebracht, um mein Leben zu retten - und ja, Cos und 'Frido haben auch eine große Rolle gespielt, aber Beebs, weißt du, welche Inspiration du für junge Frauen überall bist?“

„Ich stimme zu. Es ist die *Biba May Foundation for the Arts* und damit ist Schluss. Und ich werde persönlich zehn Millionen für den Anfang spenden.“ Cosimo nickte, erfreut.

„Ich auch.“

Biba hatte zugesehen, wie Cosimo und Stella sich immer mehr über ihre Pläne gefreut hatten und sich gefragt, wie ihr Leben dazu kommen konnte. Ihre Chefin war jetzt ihre beste Freundin und ihr Arbeitgeber war ihr Geliebter. Und sie liebte diese beiden Menschen mehr als alle anderen.

Sie hatte Monate damit verbracht, sich von ihren körperlichen Wunden zu erholen – zu ihrer Erleichterung war ihre Niere durch Reggies Messer nicht schwer beschädigt worden, aber der psychologische Schrecken von Reggies Verrat, von seinen Jahren der Lügen und Manipulationen hatte sie depressiv und zu Zeiten untröstlich gemacht.

Mit Ausnahme von Cosimo und Stella hatte Biba die Person verloren, der sie am meisten vertraute und obwohl sie froh war, dass er weg war, vermisste sie diesen Komfort. Sie hasste es, sich so zu fühlen und war in eine Depression gestürzt, aus der sogar Cosimo Schwierigkeiten hatte, sie zu befreien.

NUN ABER SCHAFFTE sie es hinaus. Als sie zusah, wie ihr Geliebter endlich den Film beendete, den sie alle nach Lakewood gekommen waren, um ihn zu machen, war es berauschend, die Erleichterung auf seinem schönen Gesicht zu sehen. Cosimo kam zu ihr und nahm sie in seine Arme.

„Wir haben es geschafft, Snooks." Seine Augen strahlten und Biba lächelte.

„Das haben wir. Herzlichen Glückwunsch, Baby."

Cosimo drückte seine Lippen gegen ihre. „Ich liebe dich, Miss May."

Biba legte ihre Arme um seinen Hals und kümmerte sich nicht um die anderen, die kicherten und zusahen. „Ich liebe dich auch, Mr. DeLuca."

Sie küssten sich leidenschaftlich, bis die anderen anfingen, zu rufen und sie zum Lachen brachten. Stella kam auf sie zu. „Hört zu, ihr beiden, wir feiern heute Abend eine Abschlussparty und wir haben eine kleine Überraschung für euch."

Cosimo grinste und Biba's Augenbrauen schossen nach oben. „Wirklich?"

Stella umarmte sie. „Eine gute Überraschung, versprochen. Bis dahin... gibt es da oben eine Suite, die genutzt werden muss."

„Zuhälter."

„Klar." Stella grinste sie beide an und ging dann zurück zu einem Gespräch mit Franco, Sifrido und der Crew. Die Änderung ihrer Einstellung seit der Entführung war für alle immer noch erstaunlich. Stella war entspannt, inklusiv, freundlich und warmherzig.

„Das Seltsame", sagte Biba jetzt, als sie und Cosimo zurück zum Herrenhaus gingen, "ist, dass ich glaube, dass das sowieso immer die echte Stella war. Dass die Diva-Sache eine Möglichkeit war, sich selbst zu schützen."

„Ich denke, du hast vielleicht Recht“, sagte Cosimo und grinste sie an. „Aber andererseits hast du immer das Beste in jedem gesehen.“

Biba's Lächeln verblasste ein wenig und Cosimo hielt sie mit einer Hand auf der Schulter an. „Biba, er hat uns alle reingelegt. Reggie Quinn hatte den Anschein von Güte. Gib dir nicht die Schuld seinetwegen.“

IN IHRER SUITE zogen sie sich langsam aus und küssten jedes Stück freiliegender Haut, bis sie beide vor Verlangen zitterten.

"Bett", sagte Cosimo grinsend und Biba, lachend, wackelte mit den Augenbrauen.

"Auf den Boden, Baby." Sie kreischte vor Lachen, als Cosimo sie spielerisch auf den Boden rang und ihren Körper mit seinem bedeckte. Cosimo selbst schien mehr Spaß zu haben, nun, da der Schrecken ihrer Verletzungen verblasst war und sie jeden Moment ihrer gemeinsamen Zeit genießen wollte. In ein paar Tagen würden sie nach Italien fliegen, um seine Heimatstadt Venedig zu besuchen und ihre Hochzeit zu planen. Biba konnte es kaum erwarten, zu fliegen, um für ein paar Wochen aus den Staaten zu verschwinden.

Stella hatte darauf bestanden, dass Biba sich ein paar Monate frei nimmt.

"Volle Bezahlung, natürlich und es wird auch einen Bonus geben. Einfach mit Cos abhängen, entspannen, entspannen, entspannen, die Hochzeit planen. Wenn du bereit bist, zurückzukommen, sollten wir darüber reden, dass du meine Managerin bist, nicht meine Assistentin. Du bist zu gut dafür und ich weiß es seit Jahren."

ALSO, jetzt, wo sie sich mit Cosimo entspannte, langsam und gemächlich Liebe machte, hätte Biba das glücklichste fühlen sollen, was sie je gefühlt hat. Cosimo zog seine Lippen gegen ihren Kiefer, drückte sie gegen ihre Kehle und arbeitete sich den ganzen Weg über ihren

Körper. Biba zappelte vor Vergnügen und stöhnte, als seine Zunge ihre Klit berührte. „Gott... ja. Ja... da genau... Gott..."

Cosimo nahm sich Zeit, schlug seine Zunge um ihre Klit und vergrub sie dann tief in ihre Fotze, bis sie seinen Namen keuchte und hart kam, ihren Rücken wölbte und als er seinen Schwanz in sie tauchte, kam sie wieder, zitternd und schaudernd.

Und sie war glücklich, außer... dass etwas fehlte. Etwas war ungelöst und jetzt, da sie sich zusammen entspannen und ihre Arme umeinander legen, sprach sie mit Cosimo darüber, wie sie sich fühlte.

„Was glaubst du, was es ist?" fragte Cosimo sie und streichelte ihre Wange. Biba schüttelte den Kopf.

„Ich weiß es wirklich nicht, Baby. Ich bin sicher, das Gefühl wird verblassen."

ABER SELBST ALS sie zu ihren Freunden zurückkehrten, fühlte Biba an diesem Abend, dass es etwas Unvollendetes war. Ja, das war es, sie brauchte einen Abschluss... was? Was war es?

Bald jedoch wurde ihre Aufmerksamkeit von der Versammlung am See erregt, als sie chinesische Laternen anzündeten und sie auf das Wasser setzten. „Oh, das ist wunderschön", sagte Biba und Cosimo lächelte.

„Ich bin froh, dass du das denkst, Biba May. Komm mit mir."

Er führte sie hinaus auf den kleinen Steg, wo sie zum ersten Mal fast Liebe gemacht hatten. Biba kicherte. „Alter, es sind etwa hundert Leute, die uns beobachten, also wenn du auf eine zweite Chance hoffst..."

Cosimo lachte, seine grünen Augen tanzten. „Nein, das ist es nicht... zumindest jetzt. Aber, Biba, Stella hat mir geholfen, diesee kleine Soiree zu organisieren, denn es gibt eine sehr wichtige Frage, die ich dir stellen muss."

Wärme überschwemmte ihr System. Emotionen stürmen ihren Körper hoch, als Cosimo vor ihr kniete. „Biba May, mein Liebling, du hast mein Leben verändert. Du bist meine Heldin, meine Retterin, meine beste Freundin. Würdest du mir die große Ehre erweisen, meine Frau zu werden?“

Biba, mit Tränen in ihren Augen, grinste. „Du kannst deinen süßen italienischen Arsch darauf wetten, dass ich das werde!“

Cosimo brach lachend aus. „Und ich war so formell. Also, ist das ein Ja?“

Biba warf ihre Arme um seinen Hals. „Ja, ja, ja!“ Cosimo hob sie hoch und schwang sie herum und Biba hörte, wie ihre Freunde jubelten und offensichtlich ihre Antwort errieten.

Cosimo setzte sie endlich ab, Tränen glitzerten auf seinen langen Wimpern. „Ich liebe dich so sehr, Biba May. Du bist die Liebe meines Lebens.“

Biba war schockiert und schweigsam, für ein paar Sekunden. „Ich?“

Cosimo nickte. „Das heißt nicht, dass ich Grace nicht von ganzem Herzen geliebt habe, das habe ich. Aber, Biba, ich hätte nicht gedacht, dass mein Herz ein weiteres Risiko eingehen könnte und doch hast du es unmöglich gemacht, es nicht zu tun. Ich liebe dich.“

Biba weinte jetzt und sie vergrub ihr Gesicht in seiner Brust. „Ich liebe dich auch, Cosimo DeLuca.“

Er küsste sie sanft. „Komm schon, Baby. Lass uns zu unseren Freunden gehen und mit ihnen feiern.“

AM FLUGHAFEN SCHLOSSEN sich Nicco und Olivia an. „Ich werde dich definitiv die böse Stiefmutter nennen“, grinste Nicco Biba an, die ihm den Arm schlug und lachte.

„Und du bist der böse Stiefsohn.“

„Das ist mein Job.“

Cosimo und Biba rollten beide mit den Augen. „Der Flug hat sich um eine Stunde verspätet, also können wir uns genauso gut etwas zu essen holen.“

Im Restaurant stürzte Nicco sich auf seinen Burger. „Also, Pa, warum nehmen wir nicht den Privatjet?“

Cosimo grinste Biba an. „Wegen der Umwelt, Nicco.“

„Schön, das zu hören." Nicco tauschte einen Blick mit seiner Großmutter aus. „Übrigens, ich habe Neuigkeiten."

„Mach schon."

Nicco grinste. „Ich habe eine frühe Zusage für Oregon State."

Cosimo sah verblüfft aus und war dann begeistert. „Verdammt, Nicco... wow! Gott, ich weiß nicht, was ich sagen soll. Herzlichen Glückwunsch, mein Sohn."

„Danke, Dad und ich weiß, dass du wolltest, dass ich Stanford in Betracht ziehe und ich schwöre dir, das habe ich. Ich und Großmutter sind vor einer Woche oder so auf den Campus gegangen und es ist wunderschön... aber ich brauche meine Pinienwälder und Regen."

„Gut gesagt." Biba stieß ihr Sodaglas an seins und er zwinkerte ihr zu.

„Danke, Beebs. Also, Dad?"

Cosimo stand auf und umarmte Nicco. „Ich könnte nicht stolzer sein. Du hast das mit der 4.0 rausgehauen."

„Oh, ich weiß", Nicco war wieder ganz cool, als er sich hinsetzte.

„Du wolltest kein Gap Year machen?"

Nicco schüttelte den Kopf. „Nein, ich will damit weitermachen, weißt du? Ich will mein Studium haben. Ich kann es kaum erwarten, zur richtigen Arbeit zu kommen. Und auch meinen Horizont zu erweitern. Seit wir in Rainier waren, kann ich nicht aufhören, daran zu denken, mich auf Vulkanologie zu spezialisieren, sowohl an Land als auch unter Wasser."

Cosimo schüttelte den Kopf und lächelte. „Was ist mit meinem launischen Teenager passiert?"

SIE PLAUDERTEN NOCH eine Weile und beschlossen dann, zum Abfluggate zu gehen. Biba hielt Cosimos Hand, als Nicco und Olivia vor ihnen gingen. Sie blieb plötzlich stehen und sah Cosimo mit nervösen Augen an. „Baby... Ich muss einen Anruf machen."

Cosimo sah besorgt aus. „Alles in Ordnung?"

„Oh ja", sagte sie und schenkte ihm ein Lächeln. „Mir ist gerade das unerledigte Etwas eingefallen."

Sie konnte an der Art und Weise, wie seine Augen sie ansahen, erkennen, dass er wusste, wovon sie sprach. „Willst du etwas Privatsphäre?"

Sie schüttelte ihren Kopf. „Nein, du musst meine Hand halten."

„Für den Rest unseres Lebens", sagte er leise, „darauf kannst du dich verlassen."

Nicco und Olivia sahen sie an und wussten irgendwie, dass dies ein Moment war, der nicht geteilt werden sollte. Sie gingen in eine diskrete Distanz, als Biba ihr Handy herausnahm. Sie scrollte zu der Zahl, die sie wollte, dann zögerte sie und ihr Finger schwebte über dem Bildschirm.

„Egal was passiert", sagte Cosimo leise, „du wirst über alles geliebt."

Tränen in den Augen, Biba küsste ihn, drückte dann den Ruftaster. Als der Anruf angenommen wurde, holte sie einen langen wackeligen Zug Luft.

„Mom", sagte sie schließlich, „Ich bin es, Biba..."

DAS ENDE

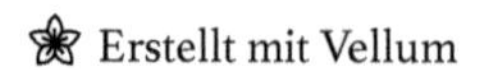
Erstellt mit Vellum